SON ÂME AU DIABLE

DU MÊME AUTEUR

DANS LE MASQUE :

QUI A TUÉ CHARLIE HATTON ?
FANTASMES
LE PASTEUR DÉTECTIVE
L'ANALPHABÈTE
L'ENVELOPPE MAUVE
CES CHOSES-LÀ NE SE FONT PAS
ÉTRANGE CRÉATURE
LE PETIT ÉTÉ DE LA SAINT-LUKE
REVIENS-MOI
LA BANQUE FERME À MIDI
UN AMOUR IMPORTUN
LE LAC DES TÉNÈBRES
L'INSPECTEUR WEXFORD
LE MAÎTRE DE LA LANDE
(Prix du Roman d'Aventures 1982)
LA FILLE QUI VENAIT DE LOIN
LA FIÈVRE DANS LE SANG
SON ÂME AU DIABLE
MORTS CROISÉES
UNE FILLE DANS UN CAVEAU
ET TOUT ÇA EN FAMILLE...
LES CORBEAUX ENTRE EUX
UNE AMIE QUI VOUS VEUT DU BIEN
LA POLICE CONDUIT LE DEUIL
LA MAISON DE LA MORT
LE JEUNE HOMME ET LA MORT
MEURTRE INDEXÉ
LES DESARROIS DU Pr. SANDERS

DANS LE CLUB DES MASQUES :

QUI A TUÉ CHARLIE HATTON ?
MORTS CROISÉES
LE LAC DES TÉNÈBRES
UNE AMIE QUI VOUS VEUT DU BIEN
CES CHOSES-LÀ NE SE FONT PAS
LE PETIT ÉTÉ DE LA SAINT-LUKE
L'ANALPHABÈTE
LA DANSE DE SALOMÉ
QUI NE TUERAIT LE MANDARIN ?
FANTASMES

RUTH RENDELL

SON ÂME AU DIABLE

Texte français de Marie-Louise Navarro

LIBRAIRIE DES CHAMPS-ÉLYSÉES

Ce roman a paru sous le titre original :

THE KILLING DOLL

ISBN original : 0 - 09 - 155480 - 2 (Hutchinson & Co, Ltd)

I

L'hiver de ses seize ans, Pup vendit son âme au diable. On était au début de décembre et la nuit tombait très tôt. Pup rassembla les accessoires dont il avait besoin et sortit. Dolly était partie à l'hôpital – les visites avaient lieu entre 7 et 8 heures – et Harold n'était pas là. Peut-être avait-il accompagné Dolly. Ça lui arrivait parfois.

Une torche à la main, Pup franchit la barrière au bout du jardin et dévala la pente à travers les arbres et les buissons. La ligne de chemin de fer désaffectée se trouvait au fond du vallon, de sorte que tous les jardins la dominaient. Elle se poursuivait en un étroit sentier sur sept ou huit kilomètres, tellement envahie par les broussailles que, vue des airs, elle devait ressembler à une langue de terre boisée. Pas en hiver, cependant, car les bouleaux dépouillés et les arbustes rabougris laissaient apparaître une herbe rare parsemée de détritus, de lambeaux de papier détrempé et de boîtes de conserve rouillées. A travers les nuages, la lune brumeuse ressemblait à une éponge dans de l'eau savonneuse.

Sur sa gauche, Pup voyait se dresser l'arche en brique sur laquelle passait Mistley Avenue. C'était un peu plus qu'un pont et un peu moins qu'un tunnel : un trou humide et sombre à travers lequel brillaient deux ou trois lumières. Au beau milieu du tunnel quelqu'un avait, un jour, abandonné un matelas crevé. Des plumes s'en échappaient, constellaient les murs suintants, s'enfonçaient dans la boue ou flottaient comme des insectes blancs dans la pénombre.

Pup s'accroupit près du matelas et alluma la bougie qu'il avait apportée. Il s'était également muni d'un couteau de cuisine bien aiguisé et d'une tasse.

Une petite entaille dans le gras du pouce suffit. Quelques gouttes de sang tombèrent dans la tasse. Pup les contempla à la lueur de la bougie. Maintenant qu'il en était arrivé là, il se rappelait à peine les mots qu'il devait prononcer.

Au sommet d'un grand chêne, dans un des jardins, une chouette hulula. Pup dressa l'oreille, tandis que le cri froid et désincarné se répétait. Puis il vit la chouette, silhouette sombre qui s'agitait contre le ciel rougeoyant, à l'entrée du tunnel. Il eut soudain conscience d'avoir froid. Le sang dégouttait sur le bord luisant de la porcelaine blanche. Il se redressa et leva la tasse en disant :

– Satan ! O Satan ! ceci est mon âme. Prends-la et garde-la pour toujours. En échange, tu devras me rendre heureux.

Il fit une pause et écouta le silence. Une plume voleta du haut de la voûte, attirée par la flamme et brûla. Pup se demanda si c'était un signe. Il décida d'en tirer aussitôt avantage : « Fais-moi grandir, ô Satan ! »

Il n'en parla à Dolly que deux semaines plus tard et encore sans entrer dans les détails.

– Tu as fait quoi ? demanda Dolly.

Il tenta d'expliquer qu'il avait suivi l'exemple du Faust de Marlowe.

– C'est une pièce de théâtre que nous étudions en classe. J'ai pensé que je pourrais essayer moi aussi. Après tout, mon âme ne me sert pas à grand-chose.

On ne la voit pas, on ne la sent pas, on ne peut rien en faire. Alors, j'ai décidé de la vendre au diable.

– La vendre contre quoi ?

– Eh bien ! répondit vaguement Pup, en échange de tout ce que je pourrais désirer.

– Dans ce cas, tu aurais pu lui demander d'empêcher maman de mourir, répliqua Dolly.

– Je ne crois pas que ce soit dans ses cordes, dit Pup en engouffrant un second éclair au chocolat.

Manifestant un instinct maternel prématuré, Dolly gavait son frère de gâteaux nourrissants et le poussait à mettre beaucoup de sucre dans son thé.

Harold – devant qui on pouvait bien raconter n'importe quoi dès lors qu'il lisait – avait calé son livre contre un pot de confiture d'ananas. Il posait sa fourchette pour lever sa tasse et gardait sa main gauche libre afin de tourner les pages.

Dolly ne buvait jamais de thé. Quand le repas serait terminé, elle monterait dans sa chambre et boirait deux verres de vin, ce qui constituait sa ration du soir.

– Tu viendras avec moi, papa ? demanda-t-elle.

Il ne broncha pas. Elle frappa sur la couverture de *la Reine qui ne le fut jamais*, une biographie de Sophie-Dorothée de Celle.

– Je te demande si tu vas venir avec moi ?

– Il m'est très pénible d'aller à l'hôpital, répondit Harold.

– Elle aime te voir.

– Je ne saurais le dire, répondit Harold, utilisant une de ses locutions favorites. Elle changerait d'avis si elle savait à quel point ça m'est pénible.

Il n'y avait aucune chance pour qu'il l'accompagnât. Elle irait seule, comme d'habitude. Après le départ de Dolly, Harold se retira dans ce qu'il appelait pompeusement « le petit salon », où il passerait la soirée, en compagnie de Sophie-Dorothée. Pup monta au premier. La maison comportait deux étages, mais le dernier était rarement utilisé. La chambre de Pup donnait sur la vieille voie de chemin de fer, le jardin de Mrs Brewer d'un côté et celui de Mrs Buxton de l'autre. Il tira les rideaux rose fané qui avaient appartenu à la mère d'Harold quand cette maison était la sienne.

Sur un mur de sa chambre, Pup avait tracé à l'aide d'un des centimètres de couturière de Dolly un long trait vertical minutieusement gradué. Il retira ses chaussures. Il y avait un mois qu'il ne s'était pas mesuré – le 18 novembre dernier, un mètre quarante-deux... Depuis des mois il n'avait pas grandi et maintenant, le dos au mur, il sentait son estomac se serrer. Il ferma les yeux. Que deviendrait-il s'il restait à un mètre quarante-deux ?

– Satan ! O Satan ! pria-t-il.

Il marqua d'un trait l'endroit que le sommet de sa tête atteignait : un mètre quarante-trois. Avait-il triché ? Il ne le pensait pas. Il n'avait même pas tendu les jarrets et ses cheveux étaient plus plats que d'habitude, car il venait de les faire couper. La nouvelle marque était sans conteste un centimètre au-dessus de l'ancienne. Etait-ce l'œuvre du diable ? Au fond de lui-même, Pup n'y croyait pas. Simple coïncidence, voilà tout.

Les Yearman avaient tendance à être petits. Harold, fluet comme un adolescent en dépit de ses cinquante-deux ans, était toutefois parvenu à un honorable mètre soixante-cinq.

– Satan, fais que je mesure un mètre soixante-cinq !

Faust n'avait pas demandé la beauté. Peut-être était-il bien de sa personne ? Pup avait le visage allongé des Yearman, les yeux jaunes des Yearman – les gens charitables les qualifiaient de « noisette ». Ni lui, ni Dolly n'avaient hérité les cheveux roux d'Edith, les yeux bleus d'Edith, son teint frais et ses taches de rousseur. Néanmoins, pensa Pup, s'il pouvait grandir encore de dix-sept centimètres, il s'accommoderait fort bien de son physique.

Dolly, elle, ne s'accommoderait jamais du sien. Elle n'était pas l'auteur de l'appel pathétique publié dans la rubrique « courrier » du magazine, et pourtant elle souffrait de la même façon que celle qui avait signé : *la défigurée de Stockport.* Dans l'autobus qui la ramenait de l'hôpital, elle lisait, la joue droite appuyée contre la vitre sombre. Elle s'arrangeait toujours pour être assise sur les sièges de droite et s'il n'y en avait pas de vacants, elle attendait l'autobus suivant.

« Etre attirante pour le sexe opposé ne signifie pas être belle au sens physique du terme. Songez combien de femmes très ordinaires sont entourées d'admirateurs. Leur secret réside dans leur confiance en elles. Cultivez votre personnalité, rendez-vous intéressante. Soyez une femme qu'il est agréable de côtoyer. Essayez de sortir, de rencontrer des gens. Oubliez votre marque de naissance et faites-vous des amis. »

Dolly n'avait pas d'amis. Dès l'âge de seize ans, Edith lui avait fait quitter l'école. Il n'était pas question qu'elle travaillât. Elle était restée à la maison pour aider sa mère comme le faisaient les filles au temps où grand-mère Yearman était jeune.

– Vous ne rendez pas service à votre fille en la traitant en invalide, Edith, disait Mrs Buxton. J'en connais de plus défigurées qui se marient et mènent une vie normale. Il y en a une, notamment, que je vois lorsque j'emmène les enfants à Finsbury Park. Elle porte une marque de naissance sur toute la moitié du visage et pas seulement sur la joue comme Dolly ; cela ne l'empêche pas de pousser dans son landau un très beau bébé.

– Nous avons consulté un spécialiste après l'autre,

disait Edith. Il n'y a rien à faire. Harold a dépensé une fortune.

Dolly ne soufflait mot. Penchée sur sa machine à coudre, elle apprenait le métier de couturière.

Elle ne sortait que pour aller faire les courses, accrochée au bras de sa mère. Pourtant elle portait toujours d'élégants vêtements coupés à la maison, des chaussures bien cirées, et une coiffure élaborée dissimulait sa joue droite sous un rideau de cheveux. Les journées s'étiraient, monotones, marquées par un seul événement : le retour de Pup, à l'heure du thé. Et il en était ainsi depuis sept ans. Dolly avait vingt-trois ans.

– C'est aussi bien que je ne sois jamais allée travailler à l'extérieur, disait-elle à Pup. Au moins, j'ai appris à m'occuper de toi et à tenir le ménage.

La maison, vieille et sombre, était meublée comme du temps de grand-mère Yearman. Elle s'étendait sur des dizaines de mètres carrés de tapis passés, de linoléum et de plancher taché. Les sanitaires étaient vétustes et l'électricité en mauvais état. Jamais personne ne tentait de la rénover ou de l'égayer un peu. Pour Noël, toutefois, Pup avait placé quelques guirlandes dans la salle à manger. Nul ne se soucia de les retirer et elles étaient toujours là quand Edith mourut.

Il avait neigé et la vieille voie de chemin de fer formait une allée blanche, vierge de toute trace de pas. Dolly mettait des miettes de pain pour les oiseaux sur la fenêtre de la cuisine. De temps à autre, elle lançait une pierre au chat de Mrs Brewer qui les chassait. Elle ne le touchait pas, mais un jour elle finirait bien par l'avoir.

Mrs Buxton sonna à la porte. Elle portait des bottes dont elle avait dû couper le haut tant ses jambes étaient grosses.

– Je voulais seulement vous dire combien je suis

navrée pour votre mère. Je sais ce qu'elle représentait pour vous et votre pauvre petit frère. C'est désolant. Tiens, vous avez encore des guirlandes de Noël en mars !

Pup avait eu seize ans en février, mais il paraissait plus jeune à cause de sa petite taille. Toujours gentil et bien élevé, il ne protestait pas quand Dolly lui demandait de l'embrasser avant de partir pour l'école et de nouveau en rentrant. Dolly se montrait plus maternelle qu'Edith ne l'avait jamais été. Elle s'inquiétait de le voir si renfermé et réservé.

Il s'était mesuré les 18 janvier et 18 février et chaque fois il avait gagné quelques centimètres. Le 18 mars, il mesurait un mètre cinquante-deux. Il s'acheta un livre broché sur la magie qu'il trouva en solde. Il s'identifiait de plus en plus au Dr Faust, bien qu'un scepticisme de bon aloi lui soufflât que s'il avait encore grandi, ce n'était que naturel.

– Je ne m'en remettrai jamais, déclara Harold après les funérailles d'Edith, elle était tout au monde pour moi.

Dolly lui apporta de la bibliothèque une nouvelle biographie de la dernière tsarine qu'il eut du mal à commencer. Il refusa de dormir dans la chambre qu'il avait partagée avec Edith et s'installa dans une autre ; il voulait que la chambre d'Edith reste exactement telle qu'elle l'avait laissée. C'était ce que la reine Victoria avait fait à la mort du prince Albert. Dolly dut ouvrir les draps et placer une de ses chemises de nuit sur l'oreiller. Jamais Edith n'aurait procédé de la sorte. La plupart du temps, elle roulait sa chemise de nuit sous le traversin et retapait le lit à la hâte.

Mrs Collins, pour qui Dolly terminait une robe commencée par Edith avant son entrée à l'hôpital, déclara que le pauvre homme faisait peine à voir. En arrivant pour l'essayage, elle l'avait surpris qui montait au premier étage, l'*Almanach du Gotha*, qu'elle avait pris pour la Bible, sous le bras. Mrs Collins était très religieuse et comptait parmi les piliers de l'église spirite d'Adonaï de Mount Pleasant Green.

– Il devrait se joindre à nous, dit-elle. Il se pourrait qu'elle vienne le voir, de l'au-delà.

– Je crois que c'est surtout moi qu'elle viendrait voir, rétorqua Dolly, la bouche pleine d'épingles, en arrondissant l'ourlet de Mrs Collins.

Pup descendit de l'autobus à Highgate et rentra chez lui en longeant la vieille voie de chemin de fer. D'une main, il tenait son cartable d'écolier, de l'autre un sac en plastique contenant le papier fort, la peinture et les punaises qu'il avait achetés à Muswell Hill. On était le 18 juillet, un beau jour d'été. Pup portait un jean propre et une veste légère. Dolly aurait aimé qu'il portât un pantalon en flanelle grise, mais Pup, qui d'habitude se montrait docile, n'avait pas cédé. Il voulait des Levi's, comme tous les jeunes de son âge.

Il y avait beaucoup de monde le long de la voie ferrée, cet après-midi, surtout des enfants assis sur le parapet des ponts et des femmes qui promenaient leurs chiens. Pup s'arrêta pour caresser la tête noble d'un berger des Pyrénées. Le soleil brillait dans un ciel sans nuages et tous les buissons étaient en fleurs.

Juste avant le tunnel, Pup gravit le remblai à travers les herbes hautes semées de détritus. Il entra chez lui par la porte du jardin. Dolly l'attendait comme une mère ou une épouse et lui tendait sa joue sans marque. Il l'embrassa. Il l'aurait embrassée sur l'autre aussi, car il n'éprouvait aucune répulsion. Dolly prit une pierre dans le tas qu'elle conservait sur la fenêtre et la lança sur le chat de Mrs Brewer.

– Tu devrais lui envoyer des mottes de terre, dit Pup, tu risques de lui faire mal.

– Il piétine mes plates-bandes, répondit Dolly.

Le jardin n'était pourtant guère fleuri. Il n'y poussait que de la belladone et, à la saison, quelques asters anémiques.

– Qu'as-tu fait en classe, aujourd'hui ?

Dolly lui posait souvent cette question, oubliant qu'il avait seize ans.

– Des calculs différentiels, répondit Pup, avec gravité.

Il n'avait qu'une vague idée de ce que cela pouvait être, mais c'était le genre de réponse qui faisait plaisir à Dolly.

– Ça semble très difficile. Est-ce que tes devoirs portent sur ce sujet ?

– Oui et sur les langues finno-ougriennes, dit Pup en dévorant un morceau de cake.

Il allait quitter la table, quand son père entra. Pup l'accueillit avec sa gentillesse habituelle :

– Bonsoir, papa. As-tu passé une bonne journée ?

– Je ne saurais dire. En tout cas, je suis exténué.

Pup monta dans sa chambre. Il y faisait chaud et il ouvrit la fenêtre. Puis il retira ses chaussures. Malgré son jean trop court, il se doutait bien qu'il n'avait pas encore atteint un mètre soixante. Ses progrès semblaient pourtant encourageants. Il n'était déjà plus le plus petit de sa classe. Dilip Raj et Christopher Theofancu avaient quelques centimètres de moins que lui. Il remit ses chaussures et sortit son matériel à dessin.

Son livre sur la magie ouvert devant lui, à la page des diagrammes, il commença à tracer un croissant sur l'une des feuilles de papier fort. Il en avait quatre, une pour chaque élément qu'il placerait sur les murs de la chambre d'en haut. Il allait la transformer en temple.

Pup allait devenir magicien.

II

– Voudrais-tu me faire une robe ?

– Tu veux dire une robe de chambre ?

– Non. Viens avec moi en haut, je vais te montrer quelque chose.

– Ah ! je vois, dit Dolly en prenant un air sévère. Il s'agit sûrement de cette pièce où tu ne veux pas me laisser entrer. Eh bien ! Je ne sais pas si je vais avoir le temps.

Pup lui adressa son plus gentil sourire :

– Bien sûr que si, ma chérie !

Dolly se sentait fondre lorsqu'il l'appelait ainsi.

– Bon. Très bien.

Ils montaient rarement au deuxième étage, ou du moins, pensa Dolly en gravissant l'escalier, *elle* y montait rarement. Autrefois, on y logeait les domestiques, lui avait dit Edith. Etait-il possible qu'on ait jamais eu des domestiques à Crouch End ? Les cinq chambres, basses de plafond, étaient tapissées de papiers aux motifs désuets : des bouquets de pois de senteur sur fond mauve, des pâquerettes liées par un ruban bleu sur fond jaune pâle. Un linoléum râpé et terne couvrait le sol et des meubles de rebut avaient été posés çà et là. Dolly balayait l'étage deux fois par an et essuyait la poussière. C'est ainsi qu'elle s'était aperçue que l'une des chambres était verrouillée. Pup fit tourner la clef dans la serrure. Dolly entra et retint une exclamation. Les pâquerettes sur fond jaune avaient disparu. Pup avait peint les murs en noir et le plafond en rouge. Sous la fenêtre Dolly reconnut la vieille table en bambou de la chambre aux pois de senteur. Pup l'avait recouverte d'un drap noir. Sur chacun des murs était épinglée une feuille de papier avec un dessin. Sur le mur nord, il y avait un carré jaune pour la terre, à l'est, un cercle bleu pour l'air, au sud un triangle équilatéral pour le feu et à l'ouest un croissant argenté représentait l'eau.

– Ce sont les *tattwas*, symboles des quatre éléments, expliqua Pup. Je vais faire de la magie.

A son expression, il comprit ce qu'elle pensait.

– Non, je n'ai pas l'intention de faire sortir des lapins d'un chapeau.

Un par un, il prit les livres sur la table et lui montra.

– Il s'agit d'une véritable science, expliqua-t-il, sachant comment la convaincre. Elle nécessite des années d'étude. Je pense avoir un don pour cela.

Sans un mot, Dolly ouvrit un livre au hasard et lut un paragraphe si ésotérique et complexe qu'il lui sembla qu'il fallait être d'une intelligence supérieure pour comprendre.

– Bien entendu, rien ne t'oblige à prendre part à tout cela, ajouta Pup. Si l'idée te déplaît, oublie ce que tu as vu.

– Oh ! Mais si, ça me plaît ! s'écria Dolly. Devras-tu aller à l'université pour étudier cette... science ?

Elle était ambitieuse pour lui et ne voulait pas le voir travailler avec leur père. Ce serait peut-être la solution.

– Les débouchés sont-ils intéressants ? demanda-t-elle encore.

Pup eut envie de rire.

– Ils sont infinis.

Le doute et l'espoir se lisaient sur le visage de Dolly.

– Alors, me feras-tu cette robe ? Je la veux dorée avec un soleil noir, une lune et des étoiles collés dessus.

– Appliqués, corrigea Dolly.

Elle s'avisa tout à coup qu'il était plus grand qu'elle. C'était récent. Elle en éprouva une tendre fierté.

– Descendons et allons voir ce que j'ai. Il doit me rester un métrage de polyester doré que j'ai acheté aux soldes de John Lewis. Ça devrait aller.

Dolly était à sa machine, devant la fenêtre. Elle piquait les coutures de la robe dorée, lorsqu'elle vit Myra Brewer sur le trottoir. Myra allait rendre visite à sa mère, comme chaque jeudi soir. Elle arracha au passage une poignée de feuilles à l'arbre qui surplombait la grille. Indignée, Dolly frappa au carreau. Ces Brewer, se dit-elle, incluant le chat parmi eux, ne pensent qu'à endommager la propriété d'autrui.

– J'ai cru que tu ne viendrais jamais, remarqua Mrs Brewer, pendant que sa fille préparait le thé.

– Tu répètes toujours la même chose.

– Je le dis parce que c'est vrai. Tu n'es jamais à l'heure, sauf lorsqu'il te dépose en voiture. Où est-il, ce soir ? Chez lui, avec sa femme, je suppose.

Myra en aurait pleuré. C'était exact. Il passait la soirée avec sa femme et elle, Myra, avait déjà trente-sept ans et des cheveux gris qu'elle dissimulait sous un henné agressif.

– Ce n'est pas la peine de faire cette tête-là, dit Mrs Brewer, en mettant de la crème dans son thé. Tu peux dire ce que tu voudras sur l'évolution des mœurs, la nature humaine ne change pas. Tu aurais dû comprendre quand il a mis ses fils à l'université et qu'il n'a pas demandé le divorce.

Myra ne répondit pas. Il ne servait à rien de discuter avec sa mère.

– Voilà encore cette sale petite peste avec sa tache sur la joue, qui jette des pierres à Fluffy, dit Mrs Brewer.

Fluffy était un chat de gouttière à poils longs que Mrs Brewer prenait pour un persan. Parfois il s'asseyait sur le poteau qui séparait la grille des Yearman de celle des voisins. Ce n'était certes pas le seul chat du quartier. Tout le monde semblait en posséder à Crouch End. Toutefois Fluffy se montrait le plus insolent. Et Dolly détestait les chats.

Edith avait l'habitude de s'occuper du jardin, à l'automne. Elle coupait les asters, ramassait les feuilles mortes. Dolly se dit, quelques semaines plus tard, que cette tâche lui incombait aussi désormais. Ayant enfilé les gants de coton de sa mère, elle s'empara également du sécateur et du déplantoir qui lui avaient appartenu. En fermant les yeux, elle pouvait presque voir son petit visage mince et sa chevelure flamboyante. Elle sentait même le parfum de citronnelle qu'elle utilisait. Des larmes perlèrent à ses paupières. Elle se mit à arracher furieusement les mauvaises herbes.

Fluffy avança sur la barrière et se fit les griffes sur le poteau avant de sauter dessus. Dolly le regarda d'un œil mauvais. Manningtree Grove était une rue longue et rectiligne, assez large, malgré les voitures garées le long des trottoirs, et très fréquentée. Les automobilistes l'empruntaient comme raccourci et débouchaient toujours à vive allure. Dolly entendait justement une voiture approcher. Sans réfléchir à ce qu'elle faisait, elle bondit sur ses pieds et frappa dans ses mains en criant. Quittant son perchoir, Fluffy traversa la rue.

La voiture passa en trombe devant la grille. Dolly fut surprise de ne pas l'entendre ralentir. S'attendant à voir Fluffy revenir, elle prépara une pierre pour la lui lancer. Au bout d'un moment, elle posa le déplantoir et sortit dans la rue. Fluffy était étendu dans le caniveau, entre le pare-chocs d'une Datsun rouge et l'arrière d'une Volvo verte. Dolly s'approcha. Le chat était mort. Un peu de sang coulait du coin de sa gueule, mais il ne portait aucune marque. Dolly eut la nausée. Elle retourna chez elle et se lava les mains.

Lorsque Mrs Brewer rentra, elle trouva le corps de son chat et s'assit pour pleurer. Elle essaya de téléphoner à Myra, mais elle était sortie avec son homme marié. Dolly, qui buvait rarement avant le soir, pas avant 5 heures et demie de toute façon, se servit un verre de vin, puis un autre, pour se remonter.

La scène avait eu un témoin : Mrs Das, une Indienne, qui vivait au-dessus de Mrs Brewer. Elle alla la trouver. Ce n'était pas qu'elle aimât particulièrement les chats. En vérité, dans son pays, on bannissait ces animaux dont on disait que le corps était habité par l'esprit des sorcières. Mais Mrs Brewer était une des rares personnes qui condescendaient à lui adresser la parole. Dolly ne parlait jamais à Mrs Das et celle-ci ignorait que Dolly ne parlait jamais à quiconque.

Il était impossible de rien prouver, mais Mrs Brewer alla raconter son histoire à qui voulait l'entendre.

– Sa mère était une bonne personne, dit Mrs Buxton, votre Myra me la rappelle un peu.

Myra n'avait jamais connu Edith Yearman qui était déjà malade avant que Mrs Brewer ne vînt vivre là.

– De quelle façon ?

– Ses cheveux, d'abord. Ses yeux aussi. Naturellement, Myra est beaucoup plus forte. Elle devrait se mettre au régime.

– Charmant, répondit Myra, quand sa mère lui rapporta cette conversation. C'est l'hôpital qui se moque de la charité !

Mrs Brewer ne l'écouta pas et revint à ses préoccupations :

– Elle doit être vraiment dérangée pour tuer ainsi un animal !

Pup avait l'impression qu'il ne grandirait plus désormais. Il avait eu dix-sept ans en février et mesurait toujours un mètre soixante-six. Mais il était satisfait. Aucun Yearman n'avait jamais atteint cette taille et dans sa robe dorée il avait belle allure.

Selon Eliphas Levi, auteur de *la Doctrine et les Rituels de la magie transcendantale*, le magicien pouvait utiliser un vulgaire couteau de cuisine en guise de poignard, à condition de s'en servir pour confectionner ses autres attributs élémentaires. Pup acheta donc un couteau chez le grand coutelier de Muswell Hill et peignit sur le manche le nom de Lucifer. Ainsi décorée, l'arme était apte à tailler la baguette magique. La réalisation du pentacle semblait plus problématique, mais c'est surtout la coupe que Pup doutait pouvoir sculpter.

Sur la vieille voie ferrée, les arbres et les buissons étaient toujours dénudés. Le printemps se montrait timide. Une épidémie de grippe sévissait, n'épargnant personne. Dolly et Harold l'avaient contractée. Mrs Brewer aussi. Seulement la voisine était âgée et sa grippe se compliqua d'une bronchite. Myra vint la soigner. Elle était réceptionniste à mi-temps chez un dentiste de Camden Town et ne travaillait que le matin. Il est nécessaire de disposer de ses après-midi lorsqu'on fréquente un homme marié.

– Je suis sûr que tu ne lui manques pas, dit Mrs Brewer. Et il va en profiter pour se réconcilier avec sa femme.

– Je ne comprends pas que tu sois si cruelle avec moi après tout ce que je fais pour toi.

– J'ai lu quelque part dans la Bible qu'être cruel, c'est parfois être bon. Tu ne possèdes rien, pas même un toit sur ta tête. Cette petite garce qui a assassiné Fluffy est mieux lotie que toi. Au moins la maison appartient à son père.

– Cette grande bâtisse est à lui ?

– Bien sûr. Et il tient une bonne petite affaire dans Broadway. Hodge et Yearman, machines à écrire et appareils à polycopier. Tu aurais dû la remarquer lorsque tu passais par là en voiture.

– Ça va bien, maman, ne parle pas autant, tu vas encore tousser.

Très tôt le lendemain matin, Pup et Dolly partirent à la recherche d'une baguette magique. Eliphas Levi préconisait le choix d'une branche très droite de coudrier ou d'amandier, coupée d'un seul geste avec le poignard magique au moment où l'arbre est prêt à bourgeonner. Pup avait emporté son couteau à manche peint.

L'air était vif, le ciel dégagé et la vieille voie ferrée semblait aussi verte qu'une prairie. L'herbe et les buissons couverts de rosée leur mouillaient les chevilles. Ni l'un ni l'autre n'étaient certains de pouvoir reconnaître un coudrier ou un amandier, mais Pup affirmait que la foi comptait plus que l'exactitude scientifique. Ils traversèrent le tunnel et suivirent le fossé qui s'était creusé entre les quais moussus. C'était tout ce qui restait de la gare de Mount Pleasant Green.

Ils avaient largement le temps et allèrent jusqu'à Tollington Road avant de trouver un arbre que Pup assura être un coudrier. Il en coupa une branche d'un coup sec et regarda avec délices la mince baguette et ses chatons dorés.

Ils revinrent par le même chemin. La ville était encore silencieuse, endormie.

Dolly, impeccable dans son tailleur en tweed et chemisier de jersey, avait pris soin, comme toujours, de dissimuler sa joue droite derrière un rideau de cheveux. De temps à autre, elle jetait un coup d'œil sur Pup qui tenait sa baguette comme une canne de pèlerin, avec amour et fierté. Il avait le visage radieux et marchait d'un pas léger, silhouette gracile et sautillante dans le petit matin.

Il était juste 7 heures et demie, quand ils arrivèrent à l'angle de Manningtree Grove. Harold bavardait dans le jardin avec Myra Brewer, une bouteille de lait sous chaque bras.

D'un geste instinctif, Dolly ajusta le rideau de cheveux sur sa joue. Elle passa sans rien dire. Myra Brewer étincelait dans un corsage vert émeraude rehaussé de chaînes et de pendentifs en or. Son maquillage était aussi soigné que si elle avait dû affronter les feux de la rampe.

– Bonjour, Myra, dit Pup qui ne lui avait jamais été présenté, mais qui connaissait son prénom.

Myra lui retourna son salut. Pup tendit sa précieuse baguette à Dolly et débarrassa son père de ses deux bouteilles de lait.

Plus tard, ce jour-là, après l'école, il arracha les bourgeons de la branche de coudrier et la peignit en jaune, puis il dessina une bande noire en spirale et écrivit le nom de Lucifer. Le pentacle fut plus difficile à exécuter. Finalement, il trouva une boutique où l'on accepta de lui découper un cercle en contreplaqué.

Dolly fut invitée à assister à la cérémonie de consécration des attributs élémentaires. A la demande de Pup, elle apporta un verre de vin rouge, une tranche de pain et une tasse de sel. Il avait également besoin d'une rose, mais il n'y en avait pas dans le jardin, aussi Dolly attendit-elle la nuit pour cueillir un bouton sur le rosier de Mrs Buxton. Pup fabriqua son eau sacrée en se plaçant face au nord. Il étendit la main sur la tasse de sel et psalmodia :

– Que la sagesse reste dans ce sel et préserve mon esprit et mon corps de toute corruption. Que tous les esprits maléfiques s'en retirent, qu'il devienne un sel céleste, sel de la terre et terre de sel.

Il avait tiré ce texte d'un livre et l'avait appris par cœur. Mélangeant le sel avec des cendres d'encens dans de l'eau il poursuivit la cérémonie.

Assise sur un coussin par terre, Dolly ne le lâchait pas du regard.

Pup aspergea les quatre coins du temple d'eau sacrée. Puis il alluma une bougie et déclama :

– Et quand les spectres auront disparu, tu verras le feu, ce feu qui s'élance et brûle à travers les profondeurs de l'univers. Ecoute, ô Toi, la voix du Feu !

La cérémonie dura deux heures. Dolly en savoura chaque minute. Quand il conclut, levant les bras en un geste auguste, Pup avait le visage extasié et plein d'une ferveur mystique.

Désormais la magie était la seule chose qui comptât pour lui. Ses résultats scolaires s'en ressentaient, mais il n'en avait cure. Trouvant que le mot « magicien » avait une connotation déplaisante, il s'était intitulé « géomancien ».

Il y avait très longtemps maintenant, semblait-il, qu'il s'était entaillé le pouce et avait vendu son âme au diable. Très longtemps aussi qu'il n'avait rien demandé. Toujours revêtu de sa robe, le poignard à la main, il se tint devant l'autel et formula sa propre version de ce que le Dr Faust avait réclamé : une belle carrière, des pouvoirs magiques, la richesse, Hélène de Troie, mais une Hélène maintes fois multipliée et conquise sans heurts.

III

Assis à la fenêtre, Diarmit Bawne attendait. Son regard allait de la rue en contrebas, à la place, s'attardait sur le carré de pelouse, puis revenait vers le bâtiment d'en face qui abritait l'église spirite d'Adonaï. Quand Conal était parti il avait promis de revenir, mais depuis trois semaines il n'avait pas donné signé de vie et Diarmit s'inquiétait. Il n'avait ni travail, ni maison. Cette chambre meublée que Conal avait louée à Mount Pleasant Gardens était son seul refuge. Heureusement il y avait les services de santé et de Sécurité sociale pour s'occuper de lui et payer son loyer.

Diarmit passait la plus grande partie de son temps à surveiller la rue en espérant voir arriver Conal. La place était déserte, à l'exception de deux chiens, un dalmatien et un colley qui poursuivaient les pigeons sans beaucoup de conviction.

Diarmit se prépara une tasse de thé. Conal lui avait laissé deux grandes boîtes de lait en poudre, des sachets de thé, des nouilles et quelques paquets de riz au curry, mais il avait emporté tous ses effets personnels. Diarmit redoutait de plus en plus de rester seul. Il ne connaissait personne ici. Depuis plusieurs jours, il n'avait pas échangé un seul mot avec quiconque.

Posté à la fenêtre, il but son thé en regardant les chiens courir après les feuilles mortes.

Il avait vingt-quatre ans. Benjamin d'une famille de douze enfants, il avait grandi dans le comté d'Armagh, en Irlande. Sa mère avait été tuée par une bombe déposée chez un membre du Parlement dont elle était la femme de ménage. Diarmit avait vu la bombe explosive et ce qu'elle avait fait à sa mère. Lui-même s'en était sorti indemne. Du moins apparemment.

Bien des années plus tôt, son père était parti pour l'Amérique afin de « voir comment c'était ». On n'en avait jamais plus entendu parler. Les frères et sœurs de Diarmit étaient éparpillés dans les îles Britanniques. Il avait d'abord séjourné chez sa sœur aînée à Dublin, mais elle avait sept enfants et un de plus était un de trop. Aussi dut-il partager son temps entre ses deux autres sœurs à Liverpool. Un de ses frères était boucher et avait sa propre boutique à Belfast. C'était celui des Bawne qui avait le mieux réussi. A l'âge de seize ans, Diarmit fut envoyé chez lui pour apprendre le métier. Il y resta deux ans. Puis, un jour, une bombe explosa dans la rue et tout fut démoli, y compris la boutique. Ni le boucher ni Diarmit ne furent blessés, mais Diarmit disparut et on ne le retrouva qu'une semaine plus tard, errant dans la campagne à trente kilomètres de là, ayant perdu la mémoire et l'usage de la parole.

Il passa près d'un an dans un hôpital psychiatrique. A sa sortie, il retourna à Liverpool et fut de nouveau ballotté d'une sœur à l'autre. Aucune d'elles ne voulait le garder. On tint un conseil de famille pour savoir que faire de lui. Personne n'accepta de le prendre en charge de façon permanente. Lui trouver un emploi semblait tout aussi problématique : il traînait son séjour à l'hôpital psychiatrique comme un boulet. Diarmit resta donc au chômage. Parfois, il se demandait s'il existait réellement, surtout quand il ne parvenait pas à se faire comprendre et quand ses sœurs, exaspérées, l'ignoraient.

Conal Moore était le beau-frère de sa sœur Mary. Il vivait à Londres et travaillait chez Budgen, un supermarché, au rayon de la confiserie. Ce fut une bonne nouvelle d'apprendre qu'il pouvait lui trouver un emploi à la boucherie. Après tout, c'était sa spécialité. Conal acceptait même de l'héberger jusqu'à ce qu'il dispose d'un logement.

Lorsque Diarmit était arrivé à Mount Pleasant Gardens, une lettre l'attendait sur la table du hall où le courrier des locataires était déposé. Diarmit avait pu déchiffrer son nom sur l'enveloppe, mais rien d'autre. C'était un peu plus facile avec les caractères imprimés. Il arrivait à lire les journaux, mais l'écriture manuscrite le déroutait.

Il s'était installé dans la chambre et depuis il guettait le retour de Conal en se demandant ce que disait sa lettre. Diarmit avait une sœur à Londres. Elle s'appelait Kathleen et vivait à Kilburn. Chaque jour il prenait la résolution d'aller la voir afin qu'elle lui lise la lettre et chaque jour il remettait sa démarche au lendemain. Une fois déjà, il s'était risqué à Kilburn jusqu'à la maison de Kathleen, mais il n'avait pas osé frapper à la porte.

Quand il eut terminé son thé, il enfila sa veste et sortit. Il traversa la place en direction de Crouch End. Il y avait un supermarché Budgen à Crouch End et un autre à Muswell Hill. Aucun n'avait de rayon de boucherie. Peut-être existait-il d'autres magasins portant le même nom dans les environs, mais il ne savait pas à qui le demander ni même comment formuler sa question.

Il faisait une journée froide et triste d'automne. Diarmit se rendit chez Budgen et acheta du pain. Il s'étonnait qu'il n'y eût pas d'étal de boucherie, mais seulement des bacs réfrigérés où l'on vendait la viande dans des barquettes de plastique. Il remercia la caissière, mais elle ne répondit pas. Peut-être ne le voyait-elle pas.

Jamais jusque-là il n'avait été aussi seul. Pour le meilleur ou pour le pire, il s'était toujours trouvé au sein d'une grande famille.

Il y avait beaucoup de monde dans Crouch End. Des passants flânaient, d'autres marchaient d'un pas pressé sans un regard pour ce garçon malingre. Leurs visages étaient hostiles ou indifférents. Maintenant qu'il avait acheté du pain, il allait rentrer à Mount Pleasant Gardens attendre Conal Moore.

Devant lui, une femme en manteau de fourrure déposa un sac en plastique dans une petite poubelle fixée à un réverbère. Diarmit jeta un coup d'œil furtif autour de lui et récupéra le sac pour y mettre son pain. Il était vert et portait le nom de « Harrods » en lettres dorées.

Diarmit traversa la place, son sac en plastique à la main et les pigeons s'envolèrent sur son passage.

IV

A la fin du trimestre d'automne, Pup quitta l'école et décida d'aller travailler avec son père. Jimmy Hodge qui avait été l'associé d'Harold pendant trente ans venait de prendre sa retraite.

Dolly était très déçue. Elle aurait voulu que Pup poursuivît ses études. Il avait appris tant de choses. Maintenant tout cela était perdu.

– Pas du tout, lui dit Pup. Je continuerai à étudier le soir.

En son absence, Dolly feuilleta certains de ses livres. Les sujets abordés semblaient si vastes et ardus que la tête lui tournait. La Pierre Philosophale, les Anciens Mystères, la Kabbale, le Magnétisme, la Fleur d'Or... de tout cela elle retira que le magicien maîtrisant une telle somme de connaissances pouvait obtenir ce qu'il désirait. Un brillant avenir s'ouvrait devant Pup. Il serait membre de l'Ordre hermétique de l'Aurore, tout comme l'illustre Crowley. Peut-être même écrirait-il un traité aussi savant que ceux qu'elle avait tenté de parcourir.

Pup lui-même était aussi enthousiaste qu'un néophyte. Il rentrait du travail avec Harold et s'arrêtait parfois à la bibliothèque pour changer les livres de son père. Ils prenaient le thé, puis Harold se réfugiaient dans le petit salon avec les Mémoires d'une princesse tandis que Pup montait s'enfermer dans son temple.

Les doigts fébriles, il enfilait sa robe dorée et commençait ses incantations ou s'exerçait à la divination avec les tarots ou encore se penchait sur l'étude d'une conception ésotérique.

Il retourna voir le marchand à qui il avait acheté le contre-plaqué pour le pentacle et lui demanda de lui couper un morceau de métal de forme polygonale en perçant un des côtés d'un trou. Dolly était influencée par Vénus aussi son talisman devait-il être un pendentif à sept côtés qu'il peignit en vert avec des lettres rouges. Pour cela, il utilisa des instruments « vierges », n'ayant jamais servi auparavant.

– Et je suis vierge moi-même, déclara-t-il.

Dolly hocha la tête.

Les pouvoirs magiques étaient accrus par la virginité. Pup avait remarqué que les livres insistaient souvent sur la chasteté du magicien dans les instructions données pour certains rites.

Dolly était heureuse de penser que Pup ne regardait jamais une fille. Il avait des amis qu'il ramenait parfois à la maison. A l'occasion il allait prendre un verre avec Chris Theofanou, mais il ne s'intéressait pas aux filles. Le visage grave, elle suspendit au bout d'une chaîne le talisman qu'il lui avait confectionné. Il la protégerait de tout maléfice.

Très souvent, Pup l'invitait dans le temple. Elle avait recouvert quelques coussins de tissu rouge et or et s'asseyait dessus pour l'observer avec une admiration mêlée de crainte. Mais il ne souhaitait pas toujours sa présence et elle ne s'imposait jamais. Il lui suffisait de savoir qu'il faisait des progrès et s'appliquait à ses études.

Lorsqu'elle regagnait le rez-de-chaussée pour préparer des patrons ou s'installer à la machine, Dolly pensait combien leur mère aurait été fière si elle avait su ce qu'il faisait. Peut-être le voyait-elle. C'est parce que sa mère lui manquait que Dolly se rendit à l'église spirite d'Adonaï.

Mrs Brewer avait un nouveau chat, un petit chaton blanc et roux qui était trop prudent pour se risquer dans la rue ou sur le poteau. Dolly gardait néanmoins un tas de cailloux à portée de la main pour le cas où il se serait aventuré dans son jardin.

Elle portait son talisman lors de sa première visite à Mount Pleasant Hall. Les membres de l'église spirite n'avaient aucune prétention à l'élégance. Pourtant elle s'était vêtue avec un soin particulier. Dolly avait l'impression qu'une tenue très recherchée parviendrait à détourner l'attention de son nævus. Elle portait la robe et le manteau qu'elle venait de terminer dans un ton seyant de vert. Autour du cou, elle avait noué une petite écharpe vermillon et posé le pendentif de sorte qu'on l'apercevrait entre les revers du manteau.

Personne dans Manningtree Grove et ses environs n'était habillé aussi bien qu'elle. Et cependant, toute cette élégance était perdue puisqu'elle ne sortait plus que pour aller faire ses achats dans le quartier.

Avant de partir, elle avait bu un verre de vin pour se donner du courage. Malgré tout, être seule dehors si tard la mettait mal à l'aise. Elle se sentait vulnérable et menacée. Les gens qui sortaient la nuit étaient différents de ceux qu'elle rencontrait en faisant ses courses le matin et ils semblaient avoir des regards plus curieux. Dolly n'avait pas d'amis. Pup ne comptait pas, c'était son enfant. Sa mère avait été son amie et sa mère était morte. Elle se demandait ce qu'elle ressentirait quand elle entendrait sa voix.

Rien ne se passa comme elle l'avait imaginé. Une douzaine de personnes seulement étaient présentes, y compris Mrs Collins et sa fille Wendy. La séance avait lieu dans une pièce de dimensions modestes dont les fenêtres étaient fermées par des jalousies vertes. Au fond, derrière un rideau, se dressait une petite estrade. Mrs Collins portait un tailleur bleu marine que Dolly lui avait confectionné. Elle lui adressa un sourire condescendant avant de se retourner pour glisser quelque chose à l'oreille de sa fille. Wendy était grasse, laide et avait dépassé la trentaine, mais elle n'avait pas de marque de naissance sur la joue.

Tout le monde prit place sur une rangée de chaises dures. Mrs Collins éteignit le plafonnier et alluma une lampe branchée derrière l'estrade. Le médium était une vieille femme encore plus grosse que Wendy. Elle s'assit sur une chaise rembourrée et dès que tout fut installé elle entra en transe.

Des esprits se mirent à transmettre des messages. Une amie, pour Wendy, une tante pour miss Finlay. Ils s'exprimaient par les lèvres du médium en un murmure étranglé. Ce n'était ni effrayant ni déroutant. En fait ce n'était pas même crédible. La voix d'Edith avait des accents à la fois trop suaves et solennels.

– Ma chère fille, je suis toujours près de toi. Je te vois prendre soin de Peter et de mon mari bien-aimé.

Jamais Edith ne s'était exprimée de la sorte. Dolly s'indignait que le médium pût se livrer à une telle supercherie, quand soudain elle sentit un parfum qui lui mit les larmes aux yeux : c'était un parfum de citronnelle, celui de sa mère.

Il s'évapora aussitôt. Le médium s'éveilla et les adeptes d'Adonaï se levèrent. Dolly tremblait encore, bouleversée par cette manifestation de sa mère.

Pendant la séance, la nuit était tombée. Les réverbères brillaient autour de la place de Mount Pleasant. Dolly s'apprêtait à sortir lorsque, dans le petit vestibule qui donnait accès à la salle de réunion, une femme lui toucha le bras. C'était miss Finlay. Elle lui demanda si elles pouvaient faire une partie du chemin ensemble. Dolly acquiesça et la suivit dehors. C'est alors qu'elle sentit de nouveau l'odeur de citronnelle. Miss Finlay portait le même parfum que sa mère.

Miss Finlay trottait comme si elle voulait semer un suiveur et Dolly dut allonger le pas. Tandis qu'elle songeait à la voix de sa mère qui lui avait paru si différente, miss Finlay remarqua combien la séance avait été passionnante et le médium stupéfiant.

– Ce doit être magnifique d'avoir de tels pouvoirs.

Dolly restait sceptique.

– Mon frère, lui, possède de véritables pouvoirs. Il s'occupe de magie.

– Ah oui ? Il pique des aiguilles dans des images en cire ?

– Bien sûr que non ! Il est géomancien. C'est un scientifique.

Miss Finlay laissa échapper un petit rire et Dolly, vexée, n'ouvrit plus la bouche jusqu'au moment où elles arrivèrent devant la grille des Yearman. Miss Finlay avait encore huit cents mètres à parcourir pour atteindre Crescent Road. Dolly lui souhaita distraitement bonsoir. Ce n'était pas l'amie qu'elle cherchait.

Pup était dans le temple car la lampe brillait sur le palier du haut. Avant même de retirer son manteau, Dolly se dirigea vers la cuisine. Elle avait besoin d'un remontant.

Elle éprouva le second choc de la soirée en ouvrant la porte. Harold était assis devant la table, Myra Brewer à ses côtés. Sur la nappe cirée étaient posés deux bouteilles de bière et un paquet de chips. Harold jeta un regard penaud vers sa fille.

– Annonce-lui la nouvelle, Hal, dit Myra.

Dolly écouta l'explication embarrassée de son père

en silence. Elle aurait voulu pouvoir crier qu'elle ne le croyait pas, que ce n'était pas possible. Au lieu de cela, elle tourna les talons et claqua la porte.

Puis, après avoir pris une profonde aspiration, elle courut tout raconter à Pup.

V

– Peter et Doreen seraient très bien au dernier étage, dit Myra.

Harold n'avait pas l'habitude d'entendre ses enfants appelés par leurs noms de baptême et il lui fallut un instant pour comprendre de qui il s'agissait. Ils discutaient de la maison et des changements qui pourraient y être apportés quand ils seraient mariés. Ou, plus exactement, Myra en discutait. Harold, pour sa part, ne voyait pas pourquoi son remariage devrait apporter la moindre modification à sa façon de vivre. Il se serait volontiers contenté d'aller à la mairie et de prononcer la formule consacrée. Le veuvage le déconcertait et il n'aimait pas dormir dans un grand lit vide. Aussi souhaitait-il retrouver son état d'homme marié, mais avec un minimum de bouleversements. Ce que proposait Myra lui semblait incroyablement audacieux.

– Je ne saurais le dire, répondit-il.

– Ça paraît si bizarre d'avoir un grand fils et une grande fille qui vivent à la maison.

– J'ai vécu chez ma mère jusqu'à mon mariage.

Et même après, aurait-il pu ajouter.

– Bien sûr, mais à cette époque, c'était différent.

Harold avait quinze ans de plus qu'elle. A l'entendre, on aurait cru qu'un demi-siècle les séparait.

– Ils auraient chacun leur chambre et utiliseraient

la pièce de devant comme séjour. On pourrait même installer une cuisine avec un évier et un chauffe-eau. Je ne vois pas d'inconvénient à régler ces frais. J'utiliserai mon livret d'épargne.

– Tu devrais leur en parler toi-même.

Harold détestait les heurts et tout ce qui pouvait troubler son train-train quotidien. Lorsqu'il rentrait le soir, après s'être affairé toute la journée dans son magasin, il aimait prendre le thé dans la cuisine, puis retrouver la quiétude du petit salon. Il s'y enfermait des heures pour dévorer les biographies romancées d'obscures altesses et les Mémoires plus ou moins fidèles de personnages hauts en couleur – à tel point qu'il était devenu expert en potins historiques.

Finalement, il dut en parler à ses enfants lui-même. Myra n'était pas là pour le faire. Elle s'occupait de son déménagement et, en crânant, expliquait à son « homme marié » qu'elle avait trouvé une offre plus alléchante. Quand il fut parti, elle se jeta sur son lit et pleura jusqu'à l'épuisement.

Ennuyé et contrit, Harold exposa à sa fille que Myra voulait qu'elle et Pup s'installent en haut. Dolly prit la nouvelle beaucoup mieux qu'il ne l'avait craint. Elle ne cria pas, ne pleura pas, mais se montra seulement hautaine.

– De toute façon, je n'aurais pas voulu vivre avec elle et je préfère cette solution. Nous aurons ainsi notre indépendance. Je ne veux avoir de rapports avec elle que si c'est absolument nécessaire.

– Ne le prends pas ainsi, Dolly !

– Tu avais dit toi-même que tu ne remplacerais jamais maman.

– Nous serons très bien tous les deux, déclara Pup, en rentrant le soir à la maison.

– Oui, juste toi et moi, n'est-ce pas, Pup ?

– Bien sûr, ma chérie.

Dolly ne perdit pas de temps. Dès le lendemain

matin, elle transporta au dernier étage tout ce qu'elle désirait garder, chaises, fauteuils, une commode et un bureau, du linge de table, des draps, de la vaisselle, ainsi que la machine à coudre d'Edith. Myra ne s'en soucia pas. De toute façon, elle voulait un mobilier neuf. Mrs Brewer n'avait pas raison de prétendre que sa fille ne possédait rien. Son compte d'épargne se montait à mille cinq cents livres.

Ils se marièrent en mars. Lorsque Harold revint de son voyage de noces à Newquay, Pup et Dolly étaient installés en haut et la maison lui sembla étrangement silencieuse. Myra fit du vrai café avec la cafetière électrique qu'elle avait achetée et servit des sandwiches aux œufs durs et au thon. Harold aurait préféré quelque chose de plus classique, mais il n'était pas homme à se plaindre. Il s'installa dans son fauteuil pour lire les Mémoires de la princesse Marie-Louise pour la quatrième fois.

Le lendemain, Pup le retrouva au magasin, à 9 heures et demie. En l'absence de son père, il s'était occupé du magasin de manière très efficace, même dans la tenue des livres. Dès qu'il en saurait assez sur la réparation des machines à écrire, il prospecterait les environs pour proposer des contrats d'entretien aux clients. Harold n'avait jamais pensé à le faire et pourtant c'était une excellente idée : aucune autre entreprise dans le voisinage n'offrait un tel service.

Le soir, ils rentrèrent ensemble. Myra sortit en courant de la cuisine pour embrasser Harold, comme il sied à une jeune mariée. Un arôme insolite de poivre et de curry flottait dans la maison. N'ayant pas encore repris son travail, Myra avait disposé de toute la journée pour concocter des plats exotiques et embellir autant la maison que sa personne.

Au cours de leur longue liaison, l'homme marié lui avait offert quelques beaux bijoux. Elle s'en parait avec libéralité : chaînes en or autour du cou et bracelets où étaient suspendus un trèfle à quatre feuilles et divers porte-bonheur et breloques. A son doigt, une bague en opale éclipsait son alliance.

Pup se planta devant elle. Il sourit d'abord à son père, puis à Myra, comme s'il leur donnait sa bénédiction. Myra se demanda s'il n'était pas un peu dérangé. Puis il tendit la main et souleva les chaînes d'or sur sa poitrine généreuse. Elle ne put s'empêcher de tressaillir quand il la toucha. Pup lui adressa un autre sourire, rassurant cette fois, et examina les porte-bonheur à son poignet. Myra se sentit mal à l'aise. Elle allait dire quelque chose de désagréable quand des ouvriers qui descendaient l'escalier provoquèrent une diversion. C'étaient les plombiers qu'elle avait fait venir pour installer l'évier et le chauffe-eau dans la plus petite des cinq pièces du haut. Elle retira brusquement sa main.

– C'est terminé, dit le plombier, je passerai demain matin vérifier vos robinets.

– Dites-moi, pendant que nous y sommes, pourquoi n'installerions-nous pas une salle de bains pour Peter et Doreen ? Ce serait bien utile.

– Je ne saurais le dire, déclara aussitôt Harold.

– Pour être tout à fait franche, ce n'est pas l'idéal de ne disposer que d'une seule salle de bains dans une aussi grande maison.

– Il faudrait l'avis de l'architecte pour les descentes d'eau et les raccords des W.-C., intervint le plombier.

– Très bien. Où pourrait-on l'installer ?

La seule pièce possible était le temple. De sa voix douce, Pup répondit :

– Dolly et moi n'avons pas besoin d'une salle de bains particulière. Ce serait une dépense inutile pour si peu de temps.

Puis il tourna les talons et monta l'escalier.

– Qu'est-ce que Pup entendait par « pour si peu de temps », Hal ? demanda Myra.

Elle appelait son mari « Hal » parce que le diminutif avait une consonance martiale. La remarque de Pup la laissait songeuse. En fait, il avait seulement voulu dire qu'il n'était pas dans ses intentions de rester à la maison plus longtemps que nécessaire. Dès que l'occasion s'en présenterait, il s'en irait.

– Je ne saurais le dire, déclara Harold.

– Tu ne penses pas qu'il a l'intention de se marier ?

– Ne me fais pas rire ! Il n'a que dix-huit ans.

– Ce serait la meilleure solution pour nous tous, bien qu'il n'y ait guère d'espoir pour la pauvre Doreen.

Harold resta silencieux un moment. Il était encore perturbé à l'idée de transformer la vieille salle à manger en une pièce claire et moderne pour y prendre les repas.

Myra servit des poivrons farcis. Harold n'en avait jamais mangé et leur odeur ne lui plaisait pas. Il examina la serviette bordée de dentelle posée près de son assiette.

– Dolly ? Je ne saurais le dire...

Harold se figurait avoir beaucoup d'esprit. Il décida donc d'impressionner sa femme avec une repartie brillante. D'un vieux stock de phrases, il tira cette métaphore :

– On ne regarde pas le manteau de la cheminée, quand on attise le feu.

– Quelle élégance ! répondit froidement Myra. Est-ce que cela s'applique également à notre vie conjugale ?

Harold faillit répondre qu'il ne saurait le dire. Se contrôlant, il lui débita quelques fadaises qu'il voulait flatteuses.

En fait, leur première nuit dans la chambre sacrée

d'Edith lui laissait un mauvais souvenir. La ressemblance de Myra avec sa femme – qui l'avait d'abord attiré – le paralysait. Dans la clarté glauque filtrée par les rideaux vert olive de la chambre, le visage de Myra avait paru livide et décharné, tandis que ses cheveux roux s'étalaient sur l'oreiller comme ceux d'Edith, naguère.

Il n'avait pas rendu visite à sa femme durant les derniers jours à l'hôpital, mais il imaginait très bien ce que la maladie et la mort toute proche avaient pu faire d'elle. Avec Myra, ayant eu l'imprudence de regarder le manteau de la cheminée pendant qu'il attisait le feu, il avait eu l'horrible impression d'étreindre un cadavre. Encore une expérience de ce genre et il ne serait plus capable de rien faire du tout.

– Veux-tu un peu de charlotte russe ? demanda Myra.

Dolly n'avait pas fait d'histoires pour s'installer sous les combles ; tout était préférable plutôt que de vivre avec Myra. Mais le déménagement s'était décidé si rapidement qu'en dépit des paroles rassurantes qu'elle prodiguait à Pup – celle qu'une mère dépossédée aurait pu prononcer – elle se sentait désemparée. Plus que jamais elle avait besoin d'une amie secourable et de conseil. Wendy Collins aurait pu être cette amie. Pendant quelque temps Dolly le crut, mais chaque fois qu'elle ouvrait la bouche pour lui parler de Myra, pour expliquer combien elle se sentait rejetée, les mots mouraient sur ses lèvres.

Elle essaya de se remettre à la couture, mais c'était moins facile et moins agréable en haut. Mrs Collins, sa meilleure cliente, avait des varices et refusait de monter l'escalier pour les essayages. D'autre part, on ne pouvait sortir de la maison qu'en traversant le hall. Sachant que Myra travaillait les lundi, mercredi et vendredi matin et le jeudi toute la journée, elle s'efforçait de ne traverser le hall qu'à ces moments-là. Elle attendait le jeudi avec impatience, juste pour se sentir enfin seule et libre. Le reste du temps, elle le passait de plus en plus fréquemment dans le temple où elle s'asseyait sur les coussins et lisait les livres de Pup, à la lueur d'une chandelle. Tout était toujours en place, lorsque Pup rentrait à la maison. Elle lui préparait les plats qu'il aimait et lui offrait du vin – qu'il acceptait rarement. Pup passait toutes ses soirées dans le temple et la plupart du temps, elle y était invitée. Mais comme une mère avisée, elle se gardait d'envahir sa vie et savait refuser.

– Je ne pense pas venir aujourd'hui, Pup, disait-elle, en allant s'asseoir près de la fenêtre mansardée.

Ces soirs-là, elle buvait parfois toute une bouteille de vin.

– Cette fille est pratiquement alcoolique, déclara Myra à sa mère. Si tu voyais le nombre de bouteilles qu'elle descend ! Je vais devoir acheter une seconde poubelle. Et la maison est dans un état ! Il faudrait une fortune pour la rénover.

– Le mariage n'est pas tout rose, répondit Mrs Brewer. Tu as un mari. Maintenant il faut en payer le prix.

– Merci pour ton soutien !

– Tu t'es mariée pour me faire plaisir, peut-être ? Tu peux dire à ta petite peste de belle-fille que si elle fait du mal à mon Gingie, je me plaindrai à la S.P.A.

Myra s'était mariée pour avoir une maison. Elle se voyait très bien en hôtesse distinguée, recevant George Colefax – son patron, le dentiste – et sa femme Yvonne dans le salon qu'elle aurait meublé en pitchpin et en bambou importé de Corée du Sud.

Déjà elle avait égayé certaines pièces avec quelques objets provenant de son appartement de West Hampstead. Et puisque Peter et Doreen ne voulaient pas de salle de bains personnelle, elle pourrait aussi bien dépenser son argent à installer une cuisine moderne. Elle appela son mari. Il arriva en traînant les pieds, *Sa Grâce d'Amalfi* de Grenville West à la main. Myra lui tendit un torchon. Jusqu'ici, il n'avait jamais essuyé la vaisselle. Parfois, il lui était arrivé de rincer les tasses sous le robinet et de les laisser sécher sur l'évier, mais rien de plus.

Du haut de sa fenêtre, Dolly les vit sortir pour aller boire un verre à *la Femme en blanc* ou peut-être faire un bingo. Harold ne s'était jamais intéressé au bingo jusque-là, mais Myra et Mrs Brewer y jouaient assidûment. Pup était dans le temple où il exécutait un rituel. Il comptait apporter d'importants changements chez Hodge et Yearman, lui avait-il expliqué. Pour cela il devait être fort. Dolly, que ce sujet n'intéressait pas, ne lui avait prêté qu'une oreille distraite.

Elle regarda s'éloigner Myra, vêtue de sa blouse verte préférée et parée de toutes ses chaînes en or. Dolly avait elle-même un goût très sûr et le sens des nuances. Elle savait que les rousses ne devaient pas porter du vert ou du bleu vif, mais plutôt des tons de beige et de brun. L'allure tapageuse de Myra l'exaspérait. Pourtant, rien ne se reflétait sur son visage. Depuis longtemps elle avait pris l'habitude de contrôler ses émotions.

Elle serrait si fort le talisman que les angles aigus de l'heptagone laissèrent une marque rouge dans la paume de sa main. De l'autre pièce lui parvenait la voix de Pup. Il invoquait les archanges. Dolly se remplit un verre de vin et appuya son oreille contre le mur pour écouter. *Ateh malkuth ve-geburah ve-gedulah le-olam.*

Y avait-il une limite à ce qu'il pouvait accomplir ? Elle leva la main et toucha le nævus.

Devant moi, Raphael,
Derrière moi, Gabriel
A ma droite, Michel
A ma gauche, Uriel...

Tenant toujours son verre à la main, elle revint à la fenêtre. Des taches de soleil jouaient sur les murs et le plafond. Le soleil couchant empourprait le ciel. Il faisait étouffant dans la pièce mansardée et la voix de Pup s'élevait, monotone, à travers la cloison. Dolly se sentit coupée de tout. Elle aurait voulu crier ou casser quelque chose.

Tout en bas dans la rue, elle aperçut miss Finlay qui se dirigeait à pas pressés vers Hornsey Rise. Dolly ne l'avait jamais revue depuis cette soirée d'hiver où elles étaient rentrées ensemble. Elle ne le regrettait pas, du reste, n'ayant aucune envie de fréquenter miss Finlay. Pourtant, en la regardant s'éloigner, elle éprouva un vague ressentiment. Pourquoi ? Parce que miss Finlay n'avait pas plus souhaité s'en faire une amie qu'elle-même ?

Lui avait-elle dit quelque chose de blessant ? Leur conversation se résumait pour elle à ce parfum de citronnelle. Puis il y avait eu son père et Myra dans la cuisine... Elle avait parlé des études de Pup et risqué une allusion à ses pouvoirs. Miss Finlay avait fait une réflexion à propos d'épingles plantées dans une poupée de cire. Cette réflexion lui avait paru stupide sur le moment. Plus maintenant.

Elle n'avait pas de cire. D'ailleurs, elle n'aurait pas su la modeler. En revanche, elle avait du tissu à ne savoir qu'en faire. Elle fouilla dans une vieille malle et trouva ce qui lui convenait. Puis elle alla dans sa chambre et prit une paire de bas très clairs dont les mailles avaient filé. Après avoir avalé une dernière gorgée de vin, elle dessina une forme sur les bas avec un crayon-feutre, puis elle commença à découper.

Lorsque Pup rentra à la maison le lendemain soir,

elle lui montra son œuvre. Haute de trente centimètres environ, la poupée était bourrée de kapok sous sa peau en bas nylon. Dolly l'avait dotée de cheveux en laine rouille, d'un visage brodé et d'une poitrine agressive. Elle portait un chemisier vert vif et une jupe à carreaux bleu marine. Autour de son cou, tombant sur sa poitrine opulente, étaient enroulées des chaînes dorées.

Pup se mit à rire :

– Notre méchante belle-mère.

– Ainsi tu la reconnais ?

– Bien sûr. Elle est très ressemblante. Pourquoi as-tu fait cela ?

Dolly le lui expliqua. Le visage de Pup devint grave.

– Je ne pratique que la magie blanche.

Ce reproche implicite fâcha Dolly, surtout venant de lui.

– N'as-tu pas vendu ton âme au diable ?

– Oh ! Allons ! Je n'étais qu'un gosse !

Il sortit de la chambre et alla s'enfermer dans le temple. Là, ayant revêtu sa robe dorée, il exécuta un rite de bannissement. Il cherchait à se débarrasser de pensées perturbatrices qui l'obsédaient ces derniers temps et dans lesquelles Myra n'avait pas place.

Dolly se retrouva seule. Des larmes lui montèrent aux yeux. Elle serra les poings. Saisissant une boîte dans son panier à ouvrage, elle se mit à enfoncer des épingles dans les jambes, la poitrine et le visage brodé de la poupée. Il lui avait fallu toute une journée pour la confectionner, plus la soirée de la veille. Environ dix heures de travail. D'un geste rageur, elle la lança contre le mur.

VI

Diarmit attendait depuis trois mois lorsqu'il reçut une carte postale. Elle représentait les falaises de Moher à l'ouest de l'Irlande. Son nom et son adresse étaient libellés en capitales. Il savait de qui elle venait parce qu'une autre locataire avait ramassé la carte en disant : « Tiens, c'est de Conal ». Diarmit n'était pas certain qu'elle se fût adressée à lui. Peut-être avait-elle simplement pensé à haute voix.

Ce que Conal disait sur sa carte, Diarmit ne le sut jamais. Peut-être quelque chose au sujet du loyer, car le lendemain le propriétaire vint lui dire que Mr Moore devait un mois. Cette fois, Diarmit ne doutait pas que l'on s'adressât à lui. Il régla l'arriéré et un mois d'avance, grâce à ses allocations accumulées de Sécurité sociale. Il avait plus d'argent qu'il n'en pouvait dépenser.

Diarmit fourra la carte postale dans sa poche. Son problème n'était pas réglé pour autant. Cette place de boucher que Conal lui avait proposée le tracassait. Bien entendu, il s'agissait d'une offre verbale. Diarmit ne se rappelait pas de façon positive si le nom de Budgen avait été mentionné. Mary avait peut-être dit « Budgen », parce que c'était un magasin connu, comme on dit « frigidaire » pour réfrigérateur. Il s'agissait peut-être d'un autre supermarché. Diarmit en avait déjà visité des dizaines au nord de Londres, en espérant que lorsqu'il se trouverait dans le bon, il le saurait aussitôt. En vain. Et maintenant, il s'inquiétait que l'on pût être fâché parce qu'il ne s'était pas présenté.

C'était un garçon insignifiant, ni grand ni petit, aux traits un peu mous. Dans une friperie de Archway Road, il s'était déniché un pantalon en coton lie-de-vin et une chemise assortie qu'il portait presque tous les jours, parce que ce n'était pas salissant.

Après avoir fait trois ou quatre fois le tour du supermarché de Muswell Hill à la recherche du rayon de boucherie, il traversa la rue et entra chez le quincaillier où Pup avait acheté son couteau magique et Dolly les chaînes dorées pour la poupée. Là il sélectionna l'attirail nécessaire à son travail de boucher : un couperet en acier pour servir de hachoir et deux longs couteaux. La caissière, qui bavardait avec une amie, ne le regarda même pas en lui rendant la monnaie.

De Woodside Road, il revint en longeant la vieille voie de chemin de fer. Il faisait chaud et des papillons rouges et noirs se posaient sur les buissons en fleurs. Maintenant qu'il était en possession de ses outils, Diarmit se sentait un peu mieux. Il serait prêt s'il trouvait le supermarché.

De retour dans son immeuble, il osa enfin utiliser le téléphone public du hall. Ce fut pour lui un effort considérable, un exploit. Il avait mémorisé le numéro de Kathleen depuis des mois. En écoutant la sonnerie, il se mit à trembler en se demandant si sa sœur l'entendrait parler. La pièce tomba quand on décrocha au bout du fil. Il appuya sur le bouton et récita d'une traite :

– Ici Diarmit, ton frère, Kathleen. Je suis là, pas très loin de chez toi, chez Conal Moore.

Une voix d'homme répondit. Il n'avait pas vu sa sœur depuis des années et elle s'était mariée depuis.

– Elle a beaucoup de frères, dit la voix.
– Oui. Je suis Diarmit, le plus jeune. Je ne me rappelle pas votre nom. Kathleen est-elle là ?
– Non. Elle est à son travail.
– Elle a de la chance. Je voudrais bien travailler moi aussi. Quand va-t-elle revenir ? Je suis son petit frère Diarmit.
– Elle sera à la maison à 5 heures et demie.
La communication fut coupée. Du moins, cet homme avait entendu sa voix. Il savait qui il était et Kathleen vivait vraiment à Kilburn. C'était là des faits positifs, réels. Au lieu de remonter dans sa chambre, il sortit et redescendit les marches qui conduisaient à l'ancienne gare. Des fleurs blanches et jaunes émaillaient l'herbe drue, ainsi que des boîtes de conserve rouillées. L'air était chaud et lourd, chargé de l'odeur du cerfeuil sauvage et de vapeurs d'essence. Diarmit longea le quai avant de sauter dans l'herbe, à l'endroit où s'étaient trouvés les rails. Une femme arrivait avec un berger des Pyrénées en laisse. Il parut à Diarmit aussi gros qu'un ours polaire.
– Belle journée. Très belle journée, lança-t-il.
La femme ne parut pas avoir entendu. Il reprit :
– Quel beau soleil !
Cette fois, pour confirmer qu'elle ne pouvait ni le voir, ni l'entendre, elle se pencha et murmura quelque chose à son chien en lui caressant la tête. Diarmit resta immobile et la regarda s'éloigner. Il poursuivit son chemin le long de la vieille voie ferrée, balançant son sac de chez Harrods en fredonnant, comme le savetier de la fable, pour se prouver qu'il n'avait pas peur. Il aurait aimé chanter des ballades irlandaises, mais il ne se souvenait d'aucune, aussi entonna-t-il le premier vers de *God Save the Queen*, le seul qu'il connût, en le répétant à l'infini.
Il quitta la voie ferrée à Stapleton Road et continua

jusqu'à la gare de Crouch Hill – une vraie gare où un vrai train le conduirait à Brondesbury, près de chez sa sœur. Il était 6 heures quand il sonna à sa porte.

Kathleen venait juste de rentrer et son mari était parti à son travail – il faisait équipe de nuit. Avant de s'en aller, il lui avait dit que son frère Diarmit avait téléphoné, en ajoutant qu'il commençait à en avoir assez de sa famille. Kathleen ne savait que faire. Elle était fatiguée, enceinte et, de toute façon, elle n'avait pas de place pour loger son frère. De plus, tout le monde savait que lorsque Diarmit était allé chez Mary pour quinze jours il y était resté trois ans. Malgré tout, elle avait l'intention de lui parler, de lui expliquer.

Mais en le voyant, ses bonnes résolutions s'évanouirent. Il sentait le vieux légume avarié ; on aurait dit qu'il ne s'était pas lavé depuis des mois. Vêtu de rouge sombre, le visage aussi pâle que de la craie, il tenait un sac vert d'une main et de l'autre il lui tendait un papier. Il lui causa une telle frayeur qu'elle resta figée sur le seuil, muette, pendant un moment. Les nausées dont elle souffrait s'accentuèrent. Elle lui referma la porte au nez et s'appuya contre le mur, les jambes flageolantes.

Diarmit comprit alors qu'il n'existait plus. Il avait déjà éprouvé ce sentiment après l'explosion de la bombe de Belfast. Depuis, il avait retrouvé une existence de façon épisodique. Maintenant il était certain d'être invisible et inaudible. Cela remontait au jour où il était entré dans le supermarché à la recherche du rayon de boucherie. On avait essayé de nier son existence afin de ne pas avoir à lui donner de travail et on avait réussi, puisque sa propre sœur ne le voyait plus.

Brusquement, il se sentit très petit. Tous les gens, même les enfants, étaient beaucoup plus grands que lui. D'énormes voitures tentèrent de le renverser, tandis qu'il traversait Kilburn Road. Il était inutile d'essayer de rentrer par le train. L'employé ne l'entendrait pas demander son billet, en supposant même qu'il soit assez grand pour atteindre le guichet. Il marcherait donc. La soirée était belle et bien qu'il y eût huit ou dix kilomètres, il pouvait entreprendre cette randonnée. Les bords aigus de ses couteaux à travers le sac en plastique le réconfortaient. Grâce à eux, il pourrait se défendre contre les géants qui essayaient de le piétiner.

Dans sa chambre, celle de Conal Moore, il serait en sécurité, comme un insecte à l'abri dans une fissure. Et comme un insecte avec son dard, il pouvait piquer avec ses couteaux. Diarmit serra le sac de chez Harrods contre lui en gravissant l'escalier.

Deux personnes descendaient les marches en riant. Il s'aplatit contre le mur, afin de n'être pas renversé sur leur passage. Une fois la porte refermée, il respira plus librement. Il fit du thé et se coucha. Mais le lendemain, il se réveilla avec le sentiment qu'une menace pesait sur lui.

Il entendait l'immeuble se vider, les locataires s'éparpiller. Ce n'était une ruche que la nuit. Il descendit l'escalier et s'arrêta derrière les portes closes, guettant un signe de vie. Tout était silencieux.

Le dalmatien et le colley couraient sur la pelouse. De loin, ils parurent très grands à Diarmit. Près de Mount Pleasant Hall on démolissait une rangée de vieilles maisons. L'air était jaune et chargé de poussière de plâtre. Ensuite on démolirait la maison dans laquelle il vivait. Il n'y avait plus personne que lui ici et il était aussi invisible qu'un insecte. On démolirait la maison, sans même savoir qu'il se trouvait là. Il serait écrasé sous les décombres dans un nuage de poussière jaune, avec les araignées et les punaises.

La nuit, il était en sécurité. Les ouvriers quittaient leur travail à 5 heures. Peut-être pourrait-il revenir à la maison le soir et se cacher le jour. A son retour, la maison aurait peut-être disparu, mais c'était un risque à prendre.

Le lendemain, après le départ de tous les locataires, il se glissa dehors avec ses couteaux dans son sac de chez Harrods. Il en avait besoin, tout comme une guêpe a besoin d'un dard. Il n'avait pas hésité sur l'endroit où il allait se rendre. Après avoir descendu les marches de Mount Pleasant Gardens, il arriva à la vieille voie ferrée et la longea jusqu'au tunnel.

Des plumes volaient de toutes parts. Le matelas semblait en posséder un stock inépuisable. Diarmit s'assit dessus et sortit ses couteaux.

De sa place, sous la voûte, il pouvait surveiller les deux ouvertures du tunnel. Ainsi, il lui était possible d'évaluer le genre de menace qui se présentait. Quant à lui, personne ne pouvait le voir, il n'était pas nécessaire de se cacher. Pourtant, au bout d'un moment, il redressa le matelas sur le côté pour en faire une sorte de mur incurvé qu'il maintint debout avec un morceau de fil de fer rouillé. Ce n'était pas pour se cacher, mais pour se protéger. Il se blottit derrière et se sentit à l'abri. Trois ou quatre personnes traversèrent le tunnel, l'une en direction de Highgate, les autres vers Mount Pleasant et bien qu'il se fût agi de géants hostiles dont le corps remplissait presque tout le tunnel, aucun d'eux ne s'approcha du matelas.

Diarmit comprit qu'il avait trouvé un moyen de survivre. La nuit, il irait dormir dans la chambre, mais le jour il viendrait là. Un couteau dans chaque main, il prendrait place derrière sa barricade.

VII

Cette poupée, déclara Mrs Collins, était exactement ce que désirait Wendy. Non, elle ne pensait pas que dix livres fût un prix exagéré. Wendy voulait offrir un cadeau d'anniversaire à sa filleule. La poupée avec son visage rond et souriant, ses nattes jaunes, sa jupe à carreaux roses et son tablier bleu, lui plairait certainement.

Dolly en avait confectionné plusieurs, toutes différentes, depuis celle qui représentait Myra et elle n'avait eu aucune difficulté à les vendre.

Mrs Collins la paya et Dolly, prenant congé, traversa la rue pour aller s'acheter cinq bouteilles de vin.

Il faisait lourd et le ciel était couvert. Dolly décida de rentrer par la vieille voie de chemin de fer. Devant elle, une femme promenait un berger des Pyrénées. Dolly avait mis des collants neufs et pour ne pas les abîmer dans les broussailles du remblai, elle traversa le tunnel. Il n'avait pas plu depuis deux semaines. D'habitude le sol était boueux sous la voûte, mais pas aujourd'hui. On voyait dans l'argile des empreintes durcies de pas et des marques de roues de bicyclette. Quelqu'un avait redressé le matelas sur le côté et l'avait attaché avec du fil de fer. Peut-être était-ce une décision des agents de la voirie et le matelas serait-il ramassé plus tard. Dolly faillit s'approcher, mais son sac était pesant et une mauvaise odeur régnait sous le tunnel. Ce n'était pas un endroit où s'attarder.

Elle gravit les marches et fit une pause devant la maison avant d'entrer. Pour une fois Gingie était assis sur le poteau.

– Va-t'en ! cria Dolly en frappant dans ses mains.

Le chat s'enfuit. Elle pénétra dans le hall sans prendre de précautions. On était un lundi et Myra travaillait jusqu'à midi.

– Doreen !

Dolly s'immobilisa. La porte du salon s'ouvrit et Myra en sortit, plus rousse que jamais, sanglée dans une salopette vert jade.

– Je vous attrape enfin, dit-elle.

Cependant le ton n'était nullement désagréable.

– On dirait que je vous fais fuir. Maintenant que vous êtes là, entrez, j'aimerais que vous me donniez votre avis.

– Pourquoi n'êtes-vous pas à votre travail ?

C'était la première fois que Dolly s'adressait directement à Myra.

– J'ai quinze jours de vacances et je vais me mettre à peindre dès demain. Ne me regardez pas ainsi. Oui, pour être tout à fait honnête, j'ai dépensé tant d'argent à installer votre cuisine que je ne peux me permettre d'avoir des ouvriers.

– Ils ont seulement posé un évier et nous n'en avions pas besoin, répondit Dolly.

Myra se mit à rire.

– Eh bien ! Au moins vous êtes directe. Mais ce n'est pas de cela que je voulais vous parler. J'aimerais que vous me disiez quelle couleur nous devrions choisir pour les murs.

C'était un sujet sur lequel Dolly avait des idées. Pendant un instant, elle oublia la haine que Myra lui inspirait.

– La pièce est claire. Vous pouvez vous permettre des couleurs soutenues. Par exemple le plafond blanc et les murs feuille-morte, ce qui s'harmoniserait avec le tapis et les chaises.

Myra fut surprise. Elle s'était adressée à Dolly parce qu'elle pensait qu'il valait mieux être en bons termes avec elle, mais elle s'était attendue à une réponse évasive.

– Je n'ai pas l'intention de garder ce vieux tapis poussiéreux, dit-elle. Je vais avoir des meubles en pitchpin et une natte en coco. Pour les murs, je pensais à un blanc cassé, un ton que l'on appelle « papyrus ».

– Comme il vous plaira.

Dolly haussa les épaules. Il était encore tôt, mais elle éprouvait le besoin de boire un verre de vin. Elle se dirigea vers la porte.

Myra avait espéré une aide qui ne viendrait pas. Cependant elle se rappela que son premier dessein était d'établir un contact.

– Voulez-vous du café ? J'allais justement en prendre une tasse.

Ce n'était pas de café dont Dolly avait envie.

– Non. Merci.

– Eh bien ! si vous ne voulez rien accepter, c'est votre affaire. Mais venez jeter un coup d'œil sur mon travail, voulez-vous ? J'aimerais que vous me disiez ce que vous en pensez. Nous devrions être amies, Doreen.

Au lieu de se rappeler le véritable objet de son ressentiment à l'égard de Myra et tout ce qui les divisait, Dolly fit appel au moins évident.

– Vous êtes beaucoup plus âgée que moi, dit-elle.

– Un petit peu, dit Myra, en rougissant.

– J'ai vingt-six ans. Et vous ?

L'embarras de Myra grandit.

– Quand on me pose cette question, je réponds, en

général : entre trente ans et la mort. Pour être parfaitement franche, j'ai trente-huit ans.

– C'est ce que je pensais, dit Dolly en reprenant son filet.

Elle se versa un grand verre de vin et s'assit pour le boire. Il y avait quatre poupées sur la cheminée : deux petites filles avec des tresses jaunes, Myra et un Indien avec un turban en soie. Dolly but son vin en regardant les poupées.

« Sable doré » était le nom de la peinture que Myra avait choisie pour le salon. Un compromis entre l'opinion de Dolly et la sienne. Elle songea que Dolly viendrait peut-être voir comment elle s'en sortait, mais elle ne se montra pas. Myra travailla tous les jours et quand elle eut terminé le salon, elle s'attaqua à la salle à manger.

Pup passait parfois lui dire un mot aimable et à l'occasion, Harold, conscient de faire un gros sacrifice sur l'autel du mariage, tournait le dos à la délicieuse solitude du petit salon et s'installait sur une chaise pour lire près de Myra, juchée sur son escabeau.

Perturbé par le sentiment désagréable de s'adonner à la nécrophilie Harold n'avait fait que deux fois l'amour avec sa femme, sans y trouver aucune satisfaction. Pendant quelque temps, il n'avait pas osé lui refuser ce qu'il pensait être le droit d'une épouse. Etendu sur le dos, il attendait une approche de sa part ou une question et quand rien ne venait, sauf un : « Bonne nuit, Hal » il se sentait soulagé. Il n'aurait pas dû s'inquiéter. Myra ne l'avait pas épousé par amour et encore moins pour avoir un homme dans son lit. Elle avait connu toute la passion et la satisfaction désirable avec son « homme marié ». Myra était une femme superficielle, frivole et peu sincère, mais elle avait eu, comme tout le monde, son lot de joies et de misères et tout ce qui faisait son bonheur s'était enfui, quand l'homme marié avait disparu de sa vie. Dans un mari comme Harold, elle voyait avant tout un homme qui pouvait lui donner la sécurité matérielle.

Elle n'était pas trop mécontente du marché et préférait apporter sa contribution grâce à son habileté et ses économies plutôt qu'en prétendant éprouver des extases qu'elle ne connaissait plus.

Quant à Harold, il tirait une certaine fierté à être vu avec Myra à son bras. Harold était de ceux qui aiment répéter que les femmes sont un mystère pour eux. Il lui suffisait pour s'en convaincre de songer aux biographies qu'il avait lues. Messaline, Catherine de Médicis, Anne Boleyn, Charlotte Corday, toutes étaient des énigmes. Sa femme également. Ce genre de réflexions le dispensait de chercher à comprendre pourquoi Myra s'accommodait aussi facilement de son manque d'ardeur, pourquoi elle se fatiguait à tous ces travaux et pourquoi, maintenant que la salle à manger était terminée, elle souhaitait inviter des gens à dîner.

Myra ne réussit pas à surprendre Dolly dans le hall, aussi dut-elle monter frapper à sa porte. Dolly devina que c'était elle et fit promptement disparaître les poupées dans une boîte.

– Nous recevons quelques amis pour dîner jeudi prochain, dit Myra de son ton le plus conciliant, j'espère que vous et Peter viendrez vous joindre à nous.

– Je dois aller à une réunion.

Les adeptes d'Adonaï tenaient une autre séance et Dolly avait presque décidé de ne pas s'y rendre, mais maintenant, elle sautait sur cette excuse.

– Qui recevez-vous ? Papa n'a pas d'amis.

– Très franchement, Doreen, je pense être meilleur juge en la matière. Nous recevrons mon employeur, le Dr Colefax et sa femme, ma mère et un couple charmant dont nous avons fait la connaissance, Hal et moi.

La salle à manger avait des murs vert pomme, maintenant, des rideaux en dralon beige et une natte sur le sol. Des reproductions de toiles de Constable achevaient de donner à la pièce une certaine classe, pensait Myra.

Pup ne jugea pas nécessaire de dire à Dolly qu'il avait accepté l'invitation. Lorsqu'elle partit pour sa réunion, il émergea du temple et vint l'embrasser. Dolly fermait la porte de la maison derrière elle, quand miss Finlay déboula au pas de charge. La police avait investi le quartier, dit-elle, Dolly savait-elle pourquoi ? Au moment où elle descendait les marches pour rejoindre la vieille voie ferrée à Crescent Road, un policier l'avait refoulée. Il n'y avait rien dans les journaux du soir et elle ne possédait pas la télévision. Dolly non plus, bien que Myra vînt juste d'acheter un poste en couleurs. Pendant qu'elles se dirigeaient ensemble vers Mount Pleasant Gardens, deux voitures de police les dépassèrent toutes sirènes hurlantes.

Les invités de Myra étaient au courant. Ils avaient tous regardé la télévision ou écouté la radio avant de venir. Tandis qu'ils prenaient l'apéritif au salon, installés dans des fauteuils en pitchpin, flambant neufs, ils ne parlèrent que de cette histoire bien que ce fût un fait divers assez horrible.

Pup ne disait rien. Il regrettait que le crime ait eu lieu sur la vieille voie ferrée et dans le tunnel même où il avait procédé au premier rituel de sa vie. Son verre à la main, il détaillait Yvonne Colefax, une très jolie blonde moulée dans une robe blanche plissée. Qu'est-ce qui pouvait pousser un homme à tuer une femme et à lui couper la tête avec une hachette ?

Comme s'il avait lu ses pensées, George Colefax déclara :

– Agression irrationnelle, dénotant une haine de la femme dont il ne pouvait supporter le défi.

Il s'exprimait avec une emphase qui semblait venir du cœur. Sa femme le regarda. Il poursuivit :

– En tranchant la tête de sa victime l'agresseur entendait imposer silence à une langue moqueuse et s'assurait que ses yeux ne le verraient plus.

Myra vint annoncer que le dîner était prêt. Ils se dirigèrent vers la salle à manger en troupe. Harold n'avait jamais présidé un dîner à 8 heures et demie du soir. Cette conversation macabre lui donnait la nausée, d'autant plus qu'il avait commencé un livre sur les tortures infligées à Mme de Brinvilliers. Il était assis entre Mrs Brewer et Eileen Ridge qu'il avait rencontrée avec son mari, en jouant au bingo.

Mrs Brewer picorait dans son assiette et retournait d'un air méfiant ses courgettes à la crème. Myra avait préparé un dîner très élaboré. En dehors des courgettes, elle servit du poulet aux noix, des pommes de terre mélangées avec des œufs et du choux accompagné de petits morceaux de bacon et de graines de carvi. George Colefax retira les graines de carvi de ses dents égales et très blanches à l'aide d'un cure-dents en or.

Il était chirurgien-dentiste et trouvait normal d'expliquer à la compagnie quel travail délicat c'était de découper une tête et comment l'assassin – quel qu'il fût – avait dû utiliser non seulement un couteau, mais peut-être une scie et une hachette. Sur ces entrefaites, Myra apporta un gâteau aux fraises.

– C'est une femme qui l'a trouvée, dit Mrs Collins dans le hall, après la séance. Elle promenait son berger des Pyrénées sur la vieille voie de chemin de fer quand l'animal, flairant quelque chose, l'a conduite jusqu'au corps décapité. Puis elle a aperçu la tête, un peu plus loin. Le choc a été si rude pour elle qu'il a fallu l'hospitaliser.

– Quelle horreur ! dit miss Finlay. Un pareil spectacle doit vous hanter jusqu'à la fin de vos jours.

Dolly remarqua qu'aujourd'hui elle ne sentait que le savon de toilette.

– Qui a pu commettre ce crime affreux ? Un monstre, seul un monstre !

Dolly était fatiguée de les entendre pérorer. Appuyée contre la grille, elle arracha une feuille d'un buisson de verveine qui poussait là et l'écrasa entre ses doigts. Sa mère n'était pas apparue au cours de la séance et n'avait pas parlé. La feuille dégagea une odeur de citronnelle.

– Ma mère utilisait une eau de toilette qui avait ce parfum, dit-elle, en mettant ses doigts sous le nez de Mrs Collins.

– Ça vous la rappelle, n'est-ce pas ? On ne se remet jamais de la perte de sa mère. Vous ne devriez pas rentrer seules, toutes les deux, après ce qui est arrivé. Attendez ici avec moi, ma fille va venir me chercher en voiture et elle vous déposera chez vous.

Il ne faisait pas encore tout à fait nuit. Miss Finlay jeta autour d'elle un regard inquiet. Mrs Collins reprit :

– J'espère que nous pouvons compter sur vous deux pour la séance de Mrs Fitter le quinze du mois prochain. Vous avez entendu parler d'elle, sans doute. Elle est merveilleuse. Les billets s'enlèvent comme des petits pains. Cinq livres le fauteuil mais vous pouvez me croire sur parole, ce n'est pas cher à ce prix. Oh ! ce parfum de citronnelle est fort, n'est-ce pas, ma chère.

Lorsque Wendy Collins déposa Dolly, la soirée battait son plein. Elle monta directement chez elle et évita de justesse Yvonne Colefax qui était allée à la salle de bains, laissant dans son sillage des effluves d'Ivoire de Balmain.

De retour dans le salon, Yvonne s'assit sur le divan. Pup hésita en se rappelant le rite de bannissement, puis alla prendre place à côté d'elle. Ne sachant que lui dire, il lui proposa les lignes de la main. Il avait entendu Myra régaler son père de détails sur la vie privée de Colefax, aussi était-il capable de lui faire un récit très précis sur son passé. Stupéfaite, elle le dévisagea longuement :

– C'est fantastique ! s'exclama-t-elle. Comment pouvez-vous savoir que j'ai perdu mon premier mari, alors que je n'avais pas vingt et un ans ? – oubliant qu'elle avait fourni ce détail à Myra la semaine précédente.

– Je l'ai lu dans vos yeux, dit galamment Pup.

– Sottises que tout cela, dit Mrs Brewer.

– Excusez-moi, mais ce qu'il vient de dire est la vérité la plus absolue.

Yvonne n'arrivait pas à détacher ses yeux de Pup et le regardait comme une sorte de gourou. Troublé, Pup devait se répéter combien était précieux l'état de virginité pour un géomancien. Yvonne sentait délicieusement bon. Sa jambe douce comme de la soie se pressait contre la sienne. Elle avait une voix enfantine, pleine d'émerveillement et bien qu'elle dût avoir sept ou huit ans de plus que lui elle paraissait très jeune.

Il y avait une demi-heure qu'il avait entendu Dolly rentrer. Il devait partir. Myra disait à ses invités qu'Harold et elle avaient l'intention de passer leurs vacances à Chypre.

– Je ne saurais le dire, déclara Harold, c'est la première fois que j'en entends parler.

– Oh ! chéri ! Toi et ta mémoire !

– Je dois me retirer maintenant, dit Pup. Bonsoir. Merci pour ce délicieux dîner.

Ce fut le signal du départ. Myra l'aurait tué de dépit ! Mrs Brewer demanda à Harold de la raccompagner jusque chez elle et d'inspecter l'appartement, au cas où un intrus s'y serait introduit en son absence. Cet homme qui décapitait les femmes, par exemple.

Pup monta au dernier étage. Dolly avait allumé une chandelle et, un verre de rosé à la main, elle regardait Ronald et Eileen Ridge monter dans leur voiture.

– Pup, dit-elle, as-tu entendu parler de ce qui s'est passé sur la vieille voie de chemin de fer ?

Il acquiesça.

– Nous n'avons pas besoin d'en discuter. Comment était la séance ?

– Très bien. Ecoute. Nous allons avoir dans trois semaines un médium capable de matérialiser les corps des défunts. Tu viendras avec moi, dis ? Il faudra te décider demain car les billets se vendent comme des petits pains.

– Je n'ai jamais vu personne se précipiter pour acheter des petits pains.

L'expression un peu offensée de sa sœur le fit sourire.

– Bien sûr, je viendrai avec toi, ma chérie.

Harold était déjà reparti lorsque Mrs Brewer se sentit soudain très mal. Elle fit la grimace : rien d'étonnant à ce qu'elle souffrît d'une indigestion après le repas extravagant que Myra leur avait servi. Tout avait commencé par une douleur au côté, à la fin du dîner. Maintenant la douleur s'intensifiait et paralysait son bras gauche, lui enserrant la poitrine comme dans une cage d'acier. Pas un instant elle ne pensa qu'il s'agissait d'une crise cardiaque.

Gingie vint se coucher sur son lit. Elle passa une nuit pénible et se sentit si fatiguée qu'elle resta couchée les deux jours suivants, mais quand Myra vint la voir le dimanche, elle était levée et ne parla pas de son malaise.

VIII

Cent quatre personnes avaient déjà traversé le tunnel. Il en passait trois ou quatre par jour, parfois un peu plus. Diarmit était resté retranché derrière sa barricade pendant vingt-trois jours. L'attaque survint le vingt-quatrième.

A son poste, engourdi par un sentiment trompeur de sécurité, il attendait. Aussi gigantesques qu'ils parussent, les intrus restaient au centre du tunnel et le laissaient tranquille. Mais le vingt-quatrième jour, la fille s'approcha du matelas. Elle cherchait quelque chose, pensa-t-il, avec terreur. Le rouleau de fil de fer, peut-être, ou bien la caisse en bois ou la vieille chaise dont il s'était servi pour assurer l'équilibre de sa fortification.

La tête monstrueuse apparut au-dessus de lui et l'assaillant, agitant ses bras tentaculaires, chercha à le saisir. Tout en sachant qu'il était trop chétif, trop minuscule pour lutter, Diarmit bondit, un couteau dans chacune de ses faibles mains.

Elle poussa un hurlement sauvage. A demi mort de frayeur, Diarmit frappa de son double dard, encore et encore jusqu'à ce que cette masse ensanglantée s'effondrât sur lui.

Il avait réussi ! Il avait vaincu ! Haletant, il recula pour regarder « la chose » à ses pieds. En mourant, son ennemie avait repris des dimensions normales.

Elle était redevenue une frêle jeune fille. Diarmit s'émerveilla que son courage et son audace aient pu réduire un puissant agresseur à cette petite chose morte. Peut-être serait-il plus prudent de la découper en morceaux. Après tout, il savait comment s'y prendre. Regrettant de ne pas avoir une scie, il se mit au travail avec le hachoir et les couteaux. Puis il abandonna. Il était fatigué et entendait, au loin, l'horloge de l'église sonner 5 heures. Il était temps de rentrer chez lui.

Un rayon de soleil l'accueillit à la sortie du tunnel. Il avait fourré le hachoir et les couteaux dans son sac en plastique vert. Des insectes bourdonnaient autour des buissons en fleurs et un papillon blanc s'envola tandis qu'un chat roux apparaissait sur le quai de l'ancienne gare. Diarmit ne rencontra personne avant d'avoir atteint les marches et de se retrouver à Mount Pleasant Gardens.

Bien qu'il fût couvert de sang, les taches ne se voyaient pas sur sa chemise et son pantalon lie-de-vin. En tout cas, nul ne lui prêta attention et il resta invisible. Sur le chantier de démolition, tout était silencieux ; les ouvriers en avaient terminé pour aujourd'hui. Il ne restait plus des maisons que des briques et des tas de gravats. Par chance, l'immeuble de Diarmit était encore intact. Il monta au dernier étage. Tout en haut, il y avait une salle de bains. Le matin et le soir, elle était toujours occupée, mais maintenant elle se trouvait libre. Il prit le hachoir et les couteaux et les lava sous le robinet d'eau froide. Puis il retourna le sac en plastique et le rinça.

Dans sa chambre, il se fit du thé et s'assit près de la fenêtre ouverte. Le dalmatien et le colley dormaient au soleil sur la pelouse. Ce serait merveilleux si Conal Moore revenait maintenant ! Diarmit avait l'impression que son existence reprenait lentement de la consistance. Le terrible combat dont il venait de sortir victorieux l'avait tiré des limbes. A présent, Conal le reconnaîtrait sûrement. Kathleen aussi. Son acte de bravoure, le sang répandu, personne ne pourrait jamais en nier la réalité.

Je tue, donc je suis.

Le berger des Pyrénées ne découvrit le corps que le lendemain. Deux jours plus tard, Diarmit trouva un journal dans une poubelle. Il reproduisait en première page une photographie du visage de la jeune fille qui l'avait attaqué en poussant des cris terribles. Assis sur un banc de la pelouse, il déchiffra les gros titres, puis le texte en épelant lentement et en suivant les lignes avec son index. Il apprit ainsi qu'on l'appelait le « coupeur de tête » et le décrivait comme un monstre sanguinaire. Il en fut choqué. Après tout, il n'avait fait que se défendre. On avait commencé par le chasser de sa chambre en menaçant de l'ensevelir sous des tonnes de décombres, après quoi on était venu le traquer dans son refuge. Pouvait-il s'en sortir autrement ?

Les ouvriers n'étaient pas revenus sur le chantier la veille. Aujourd'hui non plus. Assis sur son banc, Diarmit regarda la maison où il habitait. Le temps était toujours aussi chaud et ses vêtements tachés commençaient à sentir mauvais. Le dalmatien s'approcha pour le flairer. Une femme qui passait en poussant sa bicyclette fronça le nez et le regarda d'un air dégoûté. Ces preuves de son existence enchantaient Diarmit. Mais au bout d'un moment, les chiens l'ennuyèrent. Le dalmatien et le colley avaient été rejoints par un bâtard roux et tous les trois le suivirent jusqu'à sa porte.

Pour la première fois depuis bien des semaines, Diarmit retira ses vêtements et les lava dans la salle de bains avec une savonnette parfumée. Quand ils furent secs, il les remit et s'installa devant la fenêtre. Un pressentiment très fort lui disait que Conal reviendrait aujourd'hui. Pourtant, quand le soleil se coucha, laissant dans le ciel une lumière mauve, Conal n'était toujours pas revenu. Diarmit déchira alors la lettre et la carte postale et jeta les morceaux dans les cabinets de la salle de bains.

Le lendemain matin, il était habillé et prêt à sortir quand on frappa à sa porte. Les ouvriers venaient sans doute lui dire qu'ils allaient démolir la maison. Ils pouvaient le voir maintenant. Il avait une véritable existence. Il ouvrit la porte.

Devant lui se tenaient deux policiers en civil.

Diarmit les invita à entrer. Ils jetèrent un rapide coup d'œil à la pièce. Le plus grand des couteaux était posé sur la table où Diarmit l'avait laissé après avoir coupé une tranche de pain. L'un des policiers déclara :

– Nous aimerions savoir où est passé Conal Patrick Moore.

Diarmit leur sourit. Il les trouvait très sympathiques et leur était reconnaissant de ne rien dire sur la fille du tunnel. Ils avaient regardé distraitement le couteau.

– Moi aussi, répondit-il. Je ne sais pas du tout où il est.

– Qui êtes-vous ?

Diarmit déclina son identité et raconta comment il était venu à Londres pour trouver du travail. C'était si bon de parler et de savoir qu'on vous écoutait. Le policier dut l'interrompre.

– Et vous ne vous demandez pas pourquoi nous le recherchons ?

Cette pensée n'avait même pas effleuré Diarmit. Il s'en souciait peu. Il savourait seulement le plaisir de communiquer à nouveau.

– Il y a eu beaucoup de vols à la tire dans le

quartier, dit le sergent. Ils se sont arrêtés vers l'époque où vous dites que Mr Moore a disparu. La même chose se reproduit actuellement à Birmingham. Pourrait-il se trouver là ?

– C'est possible, dit Diarmit.

Le mari de Mary avait des frères et un vieux père qui vivaient à Birmingham. Mais il était profondément choqué. Les Bawne et leur famille étaient des citoyens respectueux des lois.

– Faites-moi savoir si vous le trouvez, dit-il.

– Entendu. De votre côté, avertissez-nous si vous apprenez quelque chose.

Ils partirent. Diarmit réfléchit sur ce qu'il venait d'apprendre. Naturellement, aucun supermarché ne donnerait de travail à un ami ou un parent d'un voleur, il le comprenait. C'était donc une bénédiction que Conal fût parti avant son arrivée. Il ne souhaitait avoir aucun rapport avec un délinquant. Par conséquent, la chambre lui revenait maintenant. Il était libre. Il se sentait fort. Comme la vie était devenue claire et limpide en quelques jours !

En se rendant compte qu'on était lundi et que les démolitions pourraient reprendre, il se calma. Bien sûr, on connaissait sa présence. Le cas échéant, on viendrait le prévenir. Mais mieux valait être prudent. Il prit le sac de chez Harrods avec ses couteaux. Inutile de laisser des objets de valeur qui risquaient d'être perdus sous les décombres.

Une fois dans la rue, une idée audacieuse lui vint à l'esprit. Pourquoi n'essaierait-il pas de trouver du travail ? Pourquoi ne pas commencer tout de suite ?

IX

De son lit, bien calée par ses oreillers, Mrs Brewer voyait le vallon verdoyant où passait la vieille voie de chemin de fer. Depuis le meurtre, plus personne ne l'empruntait. Il n'y avait guère que Gingie qui se promenait dans l'herbe haute.

Elle allait être obligée de se lever pour ouvrir la fenêtre. La chaleur devenait intolérable et la sueur commençait à ruisseler sur son front. Pourquoi Myra ne venait-elle pas la voir ? C'était pourtant jeudi, son jour de congé. Dire qu'elle habitait la porte à côté !

Gingie apparut derrière les vitres et se mit à miauler.

– Très bien, je viens, dit Mrs Brewer en repoussant ses couvertures et en posant les pieds par terre. Une bouffée de chaleur couvrit son corps de sueur. Le téléphone était dans le salon. Elle devait appeler Myra, mais avant cela, il fallait ouvrir à Gingie. De l'air, c'était peut-être ce dont elle avait besoin. Très lentement, elle avança vers la fenêtre. Gingie, toujours perché sur l'appui, miaulait silencieusement.

– J'arrive, mon garçon, dit Mrs Brewer.

Soudain, elle se sentit envahie par un flot de tendresse pour le petit chat. Il lui sembla que jamais auparavant, pas même pour feu John Brewer, disparu depuis longtemps ou pour Myra bébé, elle n'avait éprouvé ce qu'elle ressentait pour cette petite boule de fourrure rousse. Son amour l'étouffait. Elle désirait serrer Gingie contre elle, le tenir dans ses bras. Elle s'agrippa à la fenêtre, tandis que la tête du chat devenait énorme et qu'il ouvrait tout grand sa gueule en pleurant. Impossible de trouver la force de tourner cette espagnolette qui échappait à son étreinte. Elle la tenait à deux mains, mais ses genoux plièrent et elle glissa sur le sol dans une intolérable agonie.

Mrs Brewer n'eut pas longtemps à la supporter.

Myra n'avait jamais beaucoup aimé sa mère, mais ce fut un tel choc de la trouver étendue là qu'elle se sentit faible et dut s'asseoir. Plus tard, après que le corps eut été emporté et que Gingie eut trouvé refuge chez Mrs Buxton, Myra avala un verre de sherry et se rendit compte que *sa mère était morte*.

Elle pensait la voir vivre encore vingt ans. Maintenant elle ne serait plus jamais là pour l'accabler de reproches, critiquer ses vêtements ou sa cuisine. Harold se montra compréhensif. Il ne se plaignit pas de se voir servir des surgelés et répéta : « C'est triste, bien triste. »

Quand Myra se réveilla le lendemain matin, sa première pensée fut pour sa mère, puis elle s'avisa que l'appartement qu'elle avait payé trente mille livres deux ans plus tôt allait lui revenir.

Elle téléphona à George Colefax. Ce fut Yvonne qui répondit.

– Je ne viendrai pas avant lundi. Ma mère est décédée hier.

– Votre mère ? Mais je lui ai encore parlé la semaine dernière ! C'est incroyable, Myra, et vraiment affreux !

– Elle a eu une fin paisible et n'a pas souffert. Pouvez-vous prévenir George, s'il vous plaît ?

Yvonne répondit que George n'avait pas passé la

nuit à la maison. Il avait travaillé tard et était resté dormir à l'appartement au-dessus du cabinet, mais elle pouvait lui téléphoner pour le prévenir. Myra avait sa petite idée sur les heures supplémentaires de George, mais elle était trop préoccupée pour s'y attarder.

Au cours d'une querelle, quelques mois avant le mariage de Myra, Mrs Brewer avait menacé de faire un testament et disposer de ses biens, non pas au bénéfice de son héritière légitime, mais au profit d'une association pour la protection des chats. Elle était allée jusqu'à en chercher l'adresse dans l'annuaire. Furieuse, Myra lui avait elle-même apporté un formulaire de testament.

Mrs Brewer l'avait-elle rempli et signé devant témoins ? C'était peu probable, mais elle devait s'en assurer.

Myra possédait une clef de l'appartement. Avant d'aller y faire une inspection, elle devait notifier le décès, puis se rendre aux pompes funèbres. Quand elle revint chez elle, le téléphone sonnait ; la police la prévenait que le coroner ne jugeait pas utile de procéder à une enquête. Pup et Harold rentrèrent avant qu'elle ait pu aller à l'appartement et elle commençait à se sentir malade d'anxiété. Elle servit à Harold un potage tout prêt et déclara qu'elle allait contrôler que tout était bien fermé à côté. La main tremblante, elle mit la clef dans la serrure.

Lorsque Dolly et Pup sortirent, le soleil jetait ses derniers feux dans le ciel. Ils se dirigèrent d'un pas tranquille vers Mount Pleasant Hall. Un grillage entourait maintenant le chantier de démolition et les arbustes du jardinet de l'église d'Adonaï étaient poudrés de débris de plâtre. A cause de la chaleur, sans doute, on avait laissé les portes de la salle grandes ouvertes. Dolly présenta ses billets.

Le médium arriva en retard. Les vingt-trois personnes venues voir Mrs Roberta Fitter attendaient patiemment sur leurs vingt-trois chaises dures. Dolly et Pup étaient au premier rang.

Dans un coin de la salle, une tringle avait été fixée en travers du plafond pour permettre l'installation de rideaux noirs. Ceux-ci étaient entrouverts et un fauteuil rembourré trônait dans l'espace ainsi aménagé. Derrière le fauteuil, une seconde paire de rideaux masquait le mur.

Miss Finlay avait pris place à côté de Dolly. Elle désigna une femme au visage ingrat assise dans la rangée derrière elles sur la gauche.

– Voici Mrs Leebridge, la personne qui accompagne Mrs Fitter dans ses déplacements.

– Une sorte de manager, dit Pup en souriant.

– Le correspondant de Mrs Fitter s'appelle Hassan. C'est un cipaye qui a été tué au cours d'une mutinerie indienne en défendant un officier britannique.

Mrs Collins descendit de l'estrade les bras chargés de vêtements noirs. Elle les posa sur les genoux de miss Finlay.

– Il faut les faire circuler, afin de s'assurer qu'ils ne dissimulent aucun truquage, expliqua miss Finlay.

Très consciencieusement, elle retourna les collants et enfila la main dans les pantoufles avant de les passer à Dolly. La femme au visage ingrat se leva pour fermer les fenêtres. Aussitôt la pièce parut étouffante. Elle tira les jalousies et alluma le plafonnier. Les vêtements circulaient de main en main. Lorsqu'ils arrivèrent au dernier rang, Mrs Collins monta sur l'estrade avec une grande femme maigre qu'elle présenta comme étant Mrs Fitter.

Elle demanda alors à trois dames de bien vouloir venir assister à l'habillage du médium. Jamais Dolly ne se serait mise en avant, mais Mrs Collins la désigna d'office, ainsi que miss Finlay et Mrs Bullen.

Dans une petite pièce aménagée derrière l'estrade, Roberta Fitter se déshabilla sans dire un mot. Elle était trop concentrée pour bavarder.

Pendant qu'elles attendaient, miss Finlay avait dit à Dolly qu'à une récente séance quelqu'un dans l'auditoire avait crié à l'imposture ; l'ectoplasme, très perturbé, avait regagné le corps du médium si précipitamment qu'elle en avait gardé une cicatrice brune sur la poitrine. Dolly jeta un coup d'œil furtif sur les seins plats comme des outres vides de Mrs Fitter, mais ne remarqua rien.

Lorsqu'elle eut revêtu les vêtements noirs, Mrs Fitter s'avança sur l'estrade et prit place dans le fauteuil. Le plafonnier central fut éteint et on alluma une lampe rouge. Il faisait juste assez clair pour se rendre compte qu'elle était en transe. Les rideaux fonctionnaient au moyen d'un cordon que Mrs Leebridge tira, cachant ainsi Mrs Fitter à l'assistance.

Myra traversa le hall sur la pointe des pieds et entra au salon. Elle se sentait mal à l'aise. Peut-être contrevenait-elle à la loi en venant fouiner dans l'appartement. Cette impression de culpabilité la rendait maladroite. Elle regarda par-dessus son épaule avant de se diriger vers le bureau à cylindre qui avait appartenu à son père. Il n'était pas fermé à clef. Myra l'ouvrit, souleva un paquet de cartes postales jaunies. Au-dessous, encore vierge, se trouvait le formulaire de testament. Myra poussa un soupir de soulagement et ferma les yeux. Ensuite, elle inventoria le reste des papiers que Mrs Brewer avait conservés. Elle trouva des bons du Trésor pour une valeur de trois mille livres et un relevé bancaire faisant ressortir un solde créditeur de deux mille livres.

Combien de temps devrait-elle attendre pour entrer en possession de cet héritage ? Quelques mois, elle le craignait. Dans ce cas, elle pourrait aussi bien emporter le manteau de fourrure, un très beau vison ranch qui n'avait pas plus de deux ans. Il serait dommage de ne pas en profiter.

Harold était dans le petit salon. Il avait repris un roman historique sur les deux fils jumeaux, prétendait l'auteur, que Mary Stuart aurait eus en secret du comte de Bothwell. Il en était arrivé au passage où l'un des jumeaux allait faire évader son frère d'un cachot d'Elsinore, quand Myra entra revêtue de son vison. Harold marqua la page de son livre du doigt et la regarda d'un air surpris.

Myra enleva le manteau et le jeta sur le dos d'un fauteuil.

– Eh bien ! Hal, je pense que tu peux compter avoir trente-cinq mille livres de côté, l'année prochaine. Que dis-tu de cela ?

– Ta mère n'avait donc pas fait de testament ?

– Bien sûr que non. Je le savais. Pourquoi s'en soucier alors que tout devait me revenir ? Je crois que nous devrions ouvrir une bouteille de champagne. Ce n'est pas tous les jours que l'on hérite d'une somme pareille.

– Je ne saurais le dire, déclara Harold. Je n'aime pas beaucoup l'idée de fêter la mort de ta mère.

– Il ne s'agit pas de fêter sa mort, ne sois pas ridicule. Nous arrosons l'héritage. Ce n'est pas du tout la même chose.

– Eh bien ! allons à *la Femme en blanc* si tu veux.

– Non. Il ne faut pas que les gens me voient dans un pub, alors que ma mère est à peine froide. Nous allons célébrer l'événement à la maison, comme des gens civilisés.

Harold n'ajouta rien. Il retourna sur les remparts battus par le vent d'Elsinore. Myra fouilla dans le buffet de la salle à manger et trouva un quart de bouteille de sherry et un fond de Dubonnet. Tout en réfléchissant, elle but le sherry au goulot. On était vendredi, le jour de paye, mais parce qu'elle n'était pas allée travailler, elle ne l'avait pas touchée. Il ne lui restait que quarante-cinq pence dans son porte-monnaie.

– Pourrais-tu aller acheter une bouteille de mousseux ? demanda-t-elle.

Harold eut un petit rire distrait.

– Je suis complètement fauché. Je n'ai pas un penny en poche !

A présent Myra voulait absolument arroser l'événement. Elle se sentait euphorique et avait envie de chanter et de danser. Il lui fallait un compagnon dont l'humeur s'accordât à la sienne. Harold Yearman n'était pas l'homme idéal pour ce rôle. Pour la première fois depuis bien longtemps, Myra pensa à son ex-amant. Lui au moins savait s'amuser.

Elle sortit dans le hall. Pouvait-elle, considérant l'état de son compte bancaire, signer un chèque au marchand de vin ? Ce n'était pas raisonnable. De toute façon, la boutique fermait à 8 heures et il était moins cinq. Myra leva la tête vers l'escalier. Doreen ne s'apercevrait pas s'il manquait deux bouteilles dans sa réserve. Elle les remplacerait lundi, quand elle serait payée. Elle grimpa les marches quatre à quatre.

Il y avait des serrures sur certaines portes, mais aucune n'était fermée à clef. Elle entra dans le salon. Le premier placard qu'elle avisa, dans une petite alcôve, était rempli de vin. Elle prit deux bouteilles d'asti spumante. En se retournant, elle faillit les laisser tomber. Sur la cheminée, quatre poupées la regardaient, deux petites filles avec des tresses jaunes, un Indien et... elle-même !

Bien que l'image ne fut pas flatteuse, elle se reconnut immédiatement. La colère lui empourpra les joues. Maintenant elle était contente d'avoir pris ces bouteilles et ne se sentait nullement coupable.

Harold pensa que sa femme était sortie acheter le vin et ne posa pas de question. Il glissa un signet dans *les Jumeaux du destin* et la suivit à la salle à manger.

La porte-fenêtre était ouverte. Dehors, le jardin était verdoyant et plein d'ombres. Tout semblait paisible. Un pigeon roucoula dans le poirier. Myra songea à la poupée et repoussa cette pensée désagréable en servant le vin.

– A nous ! A notre prospérité, Hal !

– Je ne saurais le dire ; il y a loin de la coupe aux lèvres.

– Pour quelle raison dis-tu cela, puisqu'elle n'a pas fait de testament ? Nous pourrons passer deux semaines à Chypre. Mais avant tout, nous allons acheter une voiture.

– Tu devras la conduire, alors.

– Et je referai entièrement la cuisine avec des éléments en bois. Et je mettrai de la moquette dans notre chambre. Je pense qu'un coloris ambre sera joli.

Harold hochait la tête en l'écoutant exposer ses projets. La douceur de la soirée et le vin le plongeaient dans une torpeur béate. Myra se leva pour fermer la fenêtre.

– Les moustiques vont entrer. J'ai déjà été piquée, dit-elle en se frottant la cuisse.

– Voyons cela, dit Harold d'un ton facétieux, en l'arrêtant.

Myra tituba légèrement en retroussant sa jupe. Harold l'attira vers lui et la fit asseoir sur ses genoux. Affalée contre son mari, Myra aperçut son reflet dans le miroir au-dessus du buffet.

Elle s'avisa soudain combien elle était belle, jeune et voluptueuse avec sa peau douce et sa poitrine épanouie, sa crinière de cheveux et ses longues jambes gainées de bas noirs à plumetis. Harold avait de la chance de l'avoir pour femme, lui qui était si falot. Cependant l'idée même de se donner à un vieil homme desséché l'excita. Elle lui prit la main et la posa sur sa poitrine, puis elle saisit son verre de vin.

– As-tu envie de t'en payer un peu ? demanda Harold.

Sa vulgarité en aurait refroidi plus d'une. Mais elle était un peu ivre et se sentait plus émoustillée qu'elle ne l'avait été depuis bien longtemps.

– Bien sûr, dit-elle.

– Alors, montons dans la chambre, dit Harold.

Dans la salle de Mount Pleasant, il y eut un moment de silence complet. Il faisait sombre, en dépit de la faible lueur rouge. On se serait cru dans une salle de spectacle, quand les lumières s'éteignent.

Les rideaux s'entrouvrirent et une silhouette portant un turban se dessina vaguement. Miss Finlay chuchota à l'oreille de Dolly :

– C'est Hassan.

La silhouette prit la parole.

– Bonsoir, mes amis, dit-elle d'une voix qui ressemblait à celle de l'Indien qui vendait des plats cuisinés dans Seven Sisters Road.

Il y eut des murmures dans la salle et Mrs Leebridge répondit sur le ton énergique d'une maîtresse d'école :

– Bonsoir, Hassan. Allons-nous voir plusieurs esprits amis, ce soir ?

Hassan disparut derrière les rideaux. Un instant plus tard il reprit :

– J'ai ici une dame qui est morte d'une blessure à la tête dans un accident d'automobile.

Il y eut un silence. Dolly entendit quelqu'un soupirer derrière elle. Puis un homme, quelques rangées plus loin, demanda d'une voix rauque :

– Est-ce pour moi ?

– C'est la voix, dit Hassan.

Les rideaux s'écartèrent pour laisser apparaître une autre silhouette drapée dans une robe blanche qui semblait avoir la tête bandée. Une voix à la fois plaintive et enfantine déclara :

– Ce n'était pas ta faute, Michael.

– Puis-je te voir de plus près ?

Il y eut un murmure qui parut signifier « trop tôt » et la silhouette se retira derrière les rideaux. Dolly entendit l'homme dire d'une voix étranglée :

– Oh ! Mon Dieu !

– Sa femme a été tuée l'année dernière, expliqua miss Finlay. Elle doublait une voiture quand elle a été heurtée par un camion qui arrivait en sens inverse. Ils habitaient à côté de chez Mrs Bullen. Ecoutez, Hassan va reprendre la parole.

– Y a-t-il ici quelqu'un qui a perdu un parent policier ou en tout cas qui portait un uniforme ?

Une jeune fille demanda :

– Est-ce toi, papa ?

– C'est la voix.

Une autre forme apparut entre les rideaux. Mrs Leebridge s'exclama :

– Oh ! regardez ! On voit son képi !

La silhouette s'immobilisa et salua militairement.

– N'est-ce pas merveilleux ? dit Mrs Leebridge. Et l'on peut voir Mrs Fitter qui est toujours en transe.

Pup ne voyait rien du tout. Il faisait trop noir. Cependant, l'autre extrémité de la salle était un peu moins sombre, parce qu'un des rideaux était resté écarté, laissant filtrer un rayon de lumière. Tendant le cou, Pup aperçut la fille de l'homme au képi. Le profil d'un jeune visage rond, au nez retroussé et une masse de cheveux ondulés, ce fut tout ce qu'il vit avant que Mrs Leebridge se levât pour tirer le rideau.

Hassan demanda si quelqu'un avait perdu un compagnon à quatre pattes. Plusieurs personnes répondirent, aussi fut-il difficile de déterminer quel animal familier se matérialisait et la forme blanche se retira tout de suite.

Après cela, un oiseau apparut, ou du moins Mrs Collins prétendit que c'était un oiseau. Elle déclara qu'elle le voyait sortir entre les rideaux et se percher près de la lampe rouge. Dolly ne le vit pas, mais elle fut certaine de sentir ses ailes frôler son visage. Une femme affirma que c'était sa perruche.

Lorsqu'on en eut fini avec les animaux, plusieurs autres silhouettes se manifestèrent. La lampe donnait des reflets rouges sur leur robe blanche. La salle était encore plus sombre maintenant car il faisait nuit dehors. Dans le silence, il y eut quelques chuchotements et Dolly se dit que la séance allait se terminer, quand la voix de Hassan la fit sursauter :

– Y a-t-il un frère et une sœur au premier rang ?

Dolly ne put parler. Ce fut Pup qui répondit.

– C'est la voix !

Dolly se mit à trembler et Pup lui prit la main. Un fort parfum de citronnelle s'envola de l'estrade et se répandit dans la salle.

X

La silhouette était grande et mince, emmaillotée d'un drap blanc. Elle chancela un peu en s'avançant au bord de l'estrade.

– Est-ce toi, maman ? demanda Dolly.

Une voix étranglée répondit :

– Je suis heureuse de vous voir ensemble.

Dolly tendit la main. Pup fit de même et l'apparition se pencha sur eux en les étreignant. Dolly sentit des doigts minces et une paume humide. Dans l'obscurité, elle essaya de distinguer des traits, de reconnaître au moins la courbe d'une épaule, l'arrondi d'une hanche, quelque chose qui fût l'essence de sa mère. Seule l'odeur de citronnelle la rendait présente. Pup voulut se lever pour mieux la voir. Aussitôt la forme recula, passa un instant devant la lueur rouge de la lampe et disparut derrière les rideaux. Ceux-ci frissonnèrent avant de se refermer. Dolly poussa un gros soupir. Pup tourna la tête dans sa direction avec inquiétude, mais elle paraissait tranquille et heureuse.

Il n'y eut pas d'autres matérialisations. Hassan vint dire que le médium avait épuisé son potentiel d'ectoplasmes. En conséquence, ce serait tout pour ce soir. Dolly ferma les yeux. Elle avait l'impression que sa mère était toujours présente dans la salle. La lumière revint et elle se leva, à regret.

– C'était merveilleux, n'est-ce pas ? dit Mrs Leebridge. Je suis certaine que vous n'avez jamais rien vu de semblable.

Elle monta sur l'estrade, tira les rideaux et offrit une cigarette à Mrs Fitter.

Il y eut un bruit de chaises quand les gens se levèrent. Dehors, la nuit était claire. Dolly dit d'une voix rêveuse :

– La fille de Mrs Collins va nous reconduire à la maison en voiture.

Sur le trottoir, Pup remarqua la jeune fille dont le père s'était matérialisé avec un képi. Elle était très jolie, pas du tout le genre de fille que l'on pouvait s'attendre à rencontrer à une réunion comme celle-ci. En apercevant Pup, elle eut un petit rire nerveux :

– Je sais que c'est ridicule, mais j'ai peur de rentrer seule chez moi la nuit.

Elle le regardait, ses lèvres rouges entrouvertes. Il fallait prendre une décision. Pup savait très bien ce qui arrivait, aussi inexpérimenté qu'il pût être. Mais voulait-il céder à la tentation ou y résister ?

– Permettez-moi de vous reconduire, dit-il avec courtoisie.

Dolly était trop bouleversée pour lui en vouloir. De plus, elle ne serait pas seule. Wendy Collins allait la raccompagner.

La voiture la déposa devant la maison. Elle ouvrit la porte. Le hall était plongé dans l'obscurité et elle sentit un courant d'air. Dolly hésita, puis entra dans la salle à manger et donna la lumière. Les portes-fenêtres étaient ouvertes et la brise soufflait sur les rideaux neufs de Myra de sorte que l'un d'eux s'était accroché au dos d'une chaise. Sur la table se trouvaient deux bouteilles de vin vides qu'elle reconnut comme provenant de sa réserve. L'une des sandales à hauts talons de Myra gisait sur le sol, à côté d'une paire de collants noirs à plumetis.

Dolly ferma la fenêtre. Elle comprenait ce qui s'était passé. Le souvenir de sa mère dans son suaire la frappa de façon si aiguë qu'elle crut sentir encore la pression de sa main glacée. Tout en se rendant compte que son père n'était pas vraiment vieux, que Myra était encore jeune et que certains pouvaient la considérer comme attrayante, elle avait cru que ce mariage était un arrangement de convenance, « un mariage blanc ». Elle frissonna de dégoût. Sous une brusque impulsion, elle enfonça le talon de la sandale dans le goulot de l'une des bouteilles et attacha le collant autour du col de l'autre, comme une écharpe autour du cou d'un bonhomme de neige.

Toute la joie et le réconfort que lui avait apportés cette soirée se trouvaient brusquement dissipés. Elle monta chez elle, ouvrit une bouteille de vin et s'en servit un verre. Si seulement Pup avait été là ! Jamais elle n'avait discuté ce genre de sujet avec lui, mais maintenant, elle n'aurait pu se taire. Bien que jeune, Pup était avisé. Il aurait su la consoler. En songeant au couple, juste au-dessous, qui après cette beuverie devait dormir satisfait et repus, elle prit son verre et alla s'asseoir près de la fenêtre pour attendre le retour de son frère.

Pup marchait lentement dans la douce brise de cette belle nuit d'été.

– C'est une copine qui a pris les billets, expliqua la jeune fille. Au dernier moment, elle s'est dégonflée. Alors je suis venue toute seule, juste pour rigoler. C'était drôle, pas vrai ? Mon père est en vie et en parfaite santé. Il habite Slough. C'est quoi ton nom ?

– Peter.

Il avait enregistré les conséquences de cette dernière remarque :

– Vous ne vivez donc pas chez vos parents ?

– Moi ? Tu plaisantes ! Non. Je partage un appartement avec deux autres filles, mais elles ne sont pas là en ce moment. Elles sont étudiantes et les cours n'ont pas encore repris. Tu peux me tutoyer, tu sais.

Pup lui prit le bras pour traverser la rue et ne le lui lâcha pas ensuite. Elle s'appelait Suzanne.

– Tu veux monter un moment ?

Ils étaient arrivés devant une maison qui ressemblait à celle des Yearman, mais avec une douzaine de boutons de sonnette à la porte. L'appartement de Suzanne se composait d'une grande pièce, d'une salle de bains et d'une cuisine minuscule. Le plafonnier ne s'alluma pas quand elle appuya sur l'interrupteur. Elle se dirigea vers une lampe posée sur une table, mais Pup la retint et alluma une chandelle plantée dans une bouteille près de l'un des lits. Elle se mit à rire :

– Je vais te confier quelque chose. J'ai délibérément attendu que tu sortes. Une vieille dame m'a offert de me reconduire, mais j'ai refusé.

– Je t'ai regardée toute la soirée, dit Pup, je te trouve si jolie !

– Vraiment ?

Pup l'attira vers lui et l'embrassa. Il pensa qu'il s'en tirait assez bien, pour un débutant. Suzanne répondit avec un tel enthousiasme que Pup se sentit malade d'excitation. Il aurait aimé la déshabiller et la violer sur-le-champ. Sur le ton de la conversation, il déclara :

– J'ai une nouvelle pour toi : je suis vierge.

Elle le dévisagea avec incrédulité.

– Tu veux rire !

– Non, c'est la vérité.

Il caressa ses cheveux frisés et la regarda dans les yeux. Puis sa main glissa de son épaule pour enserrer avec douceur sa poitrine épanouie. Heureusement, Pup avait lu beaucoup de livres, y compris des romans érotiques.

– Il faudra m'apprendre. Veux-tu être mon professeur ?

– Ouaouh ! s'écria Suzanne. Tu parles, si je veux !

Dolly l'attendait. Elle remplit à nouveau son verre de vin. Il y avait une heure et demie que Pup l'avait quittée pour ramener cette fille chez elle. Naturellement, celle-ci pouvait vivre à des kilomètres de là et il avait peut-être dû prendre un autobus. Elle se mit à arpenter la pièce, mais elle n'était pas très assurée sur ses jambes. Pup était si petit et si mince que dans l'obscurité ou de loin on pouvait facilement le prendre pour une fille. Il s'était peut-être fait agresser. Minuit passa, la demie, une heure moins dix. Et s'il avait raté le dernier autobus ? Rentrerait-il à pied ? Dolly se versa un autre verre de vin. Elle avait envie de crier de terreur. Quelque chose était arrivé à Pup. Il avait peut-être rencontré le « coupeur de tête ».

Elle se mit à compter : un, deux, trois, en se disant que lorsqu'elle arriverait à cent elle entendrait sa clef dans la serrure. Quatre-vingt-dix-neuf, cent.

La maison était silencieuse. La circulation elle-même avait cessé. Dolly tomba à genoux. Les Yearman n'étaient pas des gens religieux. Elle retrouva pourtant les mots d'une prière pour s'adresser au spectre qui avait traversé l'estrade de Mount Pleasant Hall :

– Maman, protège Pup et ramène-le à la maison sain et sauf !

Elle ne pourrait pas dormir. Pourquoi aller se coucher ? Elle termina la bouteille et en déboucha une seconde. Il était 2 heures. Un dernier verre eut raison d'elle. Il lui fallut se traîner, ramper à travers le couloir pour gagner son lit, dans un état de stupeur.

Pup rentra à la maison le samedi matin à 7 heures et demie. Il faisait une belle matinée. Il se sentait insouciant et léger, le cœur plein de joie. Toutefois, en se glissant dans la maison, il se contraignit à arborer un visage en accord avec l'explication qu'il avait préparée.

Cependant, il n'avait pas besoin de s'inquiéter. Dolly dormait. Harold aussi. Myra était debout et elle cherchait un tube d'aspirine dans la salle de bains. L'excitation qu'elle avait ressentie à l'idée de sacrifier son corps jeune et beau à un homme vieillissant s'était muée en répulsion et en honte. Elle enfila son peignoir et s'efforça de faire face à la journée qui s'annonçait.

Cette même journée se présenta mieux pour Dolly qui eut le soulagement, à son réveil, de constater que la porte de la chambre de Pup était maintenant fermée. Il avait donc fini par rentrer. Des élancements douloureux lui traversaient la tête et elle se sentait faible sur ses jambes. Jamais jusque-là elle n'avait bu autant. Elle se rendit dans la salle de bains et prit deux comprimés d'aspirine. Humectant ses cheveux en désordre elle se coiffa et fit retomber une mèche sur sa joue. Une tasse de café la remettrait d'aplomb, mais il n'en restait plus. Il lui fallait aller en acheter. Elle prit son porte-monnaie, sa clef et descendit.

Myra était dans le hall, le visage hagard, les cheveux hérissés. Dès qu'elle la vit, elle fonça sur Dolly.

– Vous auriez pu vous dispenser de faire ça. Je comprends que vous soyez entrée pour fermer la fenêtre, mais planter ma sandale dans une bouteille et mes...

Elle ne put continuer. La honte la submergeait.

– C'était mon vin, rétorqua Dolly.

– Oui, bien sûr. Si vous aviez été là, je ne me serais jamais servie sans votre permission. J'avais l'intention de vous le remplacer dès ce matin. Le fait est que si vous n'étiez pas entrée dans la salle à manger, vous ne l'auriez jamais su.

– Personne n'aime que l'on viole son intimité.

– Alors, vous n'avez qu'à fermer vos portes à clef !

Myra était à bout de patience et d'arguments. En dernier recours, elle décocha à Dolly une pointe mesquine.

– Ne vous imaginez pas que votre coiffure cache cette tache sur votre visage. Pour être franche, Doreen, elle attire plutôt l'attention dessus.

Jamais personne n'avait fait allusion au nævus de Dolly d'une façon aussi directe. Elle en croyait à peine ses oreilles. Mais elle avait bien entendu et elle en ressentirait la blessure longtemps. Vaincue, elle tourna la tête et présenta son « bon » côté à Myra.

– Il vaudrait mieux mettre un fond de teint.

Myra aimait donner des conseils de beauté et discuter sur « la meilleure façon de tirer parti de soi-même ». Elle oublia sa méchanceté première et reprit :

– Ou même un maquillage de théâtre, peut-être avec une poudre bleutée. Une esthéticienne saurait vous conseiller.

Elle avança la main et souleva la longue mèche de cheveux. Avivé par la confusion, le nævus était encore plus voyant.

Dolly se dégagea brusquement et sortit en courant. Il faisait frais ce matin et la rue était déserte. Sa solitude l'écrasait. Elle haïssait Myra et Pup, son seul soutien, son seul allié, l'avait abandonnée la veille. En passant la nuit dehors, il avait franchi un pas qui l'éloignait d'elle. Un grand froid l'envahit. Quand elle arriva à l'épicerie, elle se rendit compte qu'elle tenait ses cheveux contre sa joue à deux mains.

Jamais Myra ne parla de la poupée. Peut-être ne l'avait-elle pas vue en allant chercher le vin, pensa

Dolly. Ou peut-être ne s'était-elle pas reconnue, vaine comme elle l'était de sa personne.

La poupée perdit bientôt ses compagnes. Miss Finlay acheta l'une des petites filles aux tresses jaunes, la meilleure amie de Wendy Collins prit l'Indien et Mrs Leebridge l'autre petite fille.

Dolly la porta elle-même chez Mrs Leebridge à Camden Town, dans un immeuble proche de la station de métro. Grasse et laide, Mrs Leebridge était une des rares personnes qui semblait ne prêter aucune attention au nævus de Dolly. Sans doute était-elle trop absorbée par sa petite personne et l'admiration démesurée qu'elle portait à Roberta Fitter.

Elle paya la poupée et la posa dans un coin sans lui accorder un regard. Après quoi, elle entreprit de régaler Dolly des exploits de Mrs Fitter. Elle lui fit même l'insigne faveur de lui montrer des photos sur lesquelles des nuages à forme humaine s'envolaient de la poitrine du médium en transe.

– Je compte sur votre présence à nos prochaines séances.

Dolly répondit qu'elle y penserait.

– J'espère que vous ferez plus que d'y penser. Cinq livres, ce n'est rien, aujourd'hui.

Dolly n'aimait pas beaucoup prendre le métro. Les rangées de sièges se faisaient face et chacun était ainsi livré aux regards inquisiteurs des autres voyageurs. Mais Mrs Leebridge habitait si près de la station qu'il aurait été stupide d'aller plus loin chercher un autobus.

Il était 5 heures et demie. Dolly se trouvait à environ cent mètres de l'entrée du métro, quand elle aperçut Myra devant elle, ses cheveux roux répandus sur les épaules. Le cabinet de George Colefax était dans Camden Street et elle devait revenir de son travail.

Dolly savait que Myra voyageait en métro et prenait ensuite un autobus jusqu'à la maison. Elle ralentit le pas pour éviter de se trouver avec elle.

Dolly se demanda comment Myra aurait réagi si elle lui avait fait remarquer sur son ensemble vert émeraude seyait très mal à son teint. Sans doute estimait-elle pouvoir donner des conseils mais pas en recevoir.

Il y avait beaucoup de monde sur le quai. Pourtant, Dolly repéra facilement Myra grâce à son cardigan vert. Pendant le moment où elle l'avait perdue de vue, Myra avait attaché ses cheveux, comme elle le faisait souvent, avec une grande barrette en écaille de tortue que Dolly ne lui connaissait pas. Tout en descendant les marches, Dolly prit un intérêt professionnel à observer à quel point une nuance à la mode comme ce vert pouvait colorer une foule. Des douzaines de points verts apparaissaient au milieu d'une uniformité de dos sombres. Il en avait été de même un an plus tôt quand la couleur lie-de-vin avait été en vogue.

Dolly se fraya un passage et arriva à environ un mètre de Myra. Une femme âgée assez grosse et un homme en costume trois-pièces la lui cachaient en partie. Seul un morceau du cardigan tranchait sur leurs vêtements foncés.

Tout le monde leva le nez pour regarder l'enseigne lumineuse annonçant que le prochain train serait à destination de Mill Hill East. Dolly fit passer la lanière de son sac sur son épaule afin de libérer ses mains. Des images fourmillaient dans sa tête : le spectre de sa mère debout sur l'estrade ; les pièces sombres dans lesquelles on les avait relégués, elle et Pup ; des collants noirs à plumetis ; un dos vert sur lequel flottaient des cheveux roux. Soudain, elle crut sentir un parfum de citronnelle. La foule se pressait derrière elle. Personne ne pouvait voir ses mains.

Dolly s'approcha encore du cardigan vert qui l'attirait comme un aimant au bord du quai. Elle ne voyait pas les rails ni même la ligne électrique qui passait au milieu, mais elle savait qu'ils étaient là. La semaine dernière, Pup lui avait raconté que le trafic entre Mornington Crescent et Euston avait été interrompu pendant deux heures, parce qu'un homme s'était jeté sur la voie. Pas même sous un train, mais seulement sur la ligne électrifiée et il était mort. Naturellement il était plus sûr d'attendre le moment où le train entrait en gare.

A l'entrée du tunnel, la lumière était passée au vert, indiquant que le train arrivait et déjà on sentait le déplacement d'air.

Dolly s'immobilisa, les yeux fixés sur la tache verte agressive dont elle ne pouvait pas détacher son regard. Sa gorge était serrée et sèche. Elle leva les mains. Sous ses paumes, elle sentait presque la texture laineuse du cardigan. Le train entra dans la station et Dolly se raidit, prête à pousser.

La grosse dame âgée se retourna brusquement. L'horreur et l'incrédulité se peignirent sur son visage. Elle se glissa vivement devant Dolly et lui écarta les mains, avant que celle-ci ait eu le temps de faire un geste.

Le métro s'arrêta et les portes s'entrouvrirent. Il y eut un mouvement de foule et les gens s'engouffrèrent dans le wagon. Le cardigan vert disparut.

Dolly joua des coudes pour s'esquiver à l'autre extrémité du quai. C'est alors qu'elle se trouva nez à nez avec Myra.

XI

Elle avait besoin d'air. Les jambes flageolantes, elle remonta dans la rue et s'assit sur un banc, en respirant fort. Dire qu'elle avait failli envoyer une étrangère à la mort, alors que Myra attendait à l'extrémité du quai !

Dolly revoyait l'expression horrifiée de la grosse dame qui avait empêché le drame. Et si elle allait trouver la police ? Tentative de meurtre, pensa-t-elle, en portant la main à son nævus grâce auquel on pourrait facilement l'identifier. Elle se leva. Elle avait peur de redescendre dans la station et se mit à marcher.

Un taxi passa et elle le héla. C'était peut-être la seconde fois de sa vie qu'elle prenait un taxi, mais elle se sentait incapable d'emprunter les transports en commun.

Dès qu'elle fut à la maison, elle se versa un grand verre de vin qu'elle but d'un seul trait. Aussitôt, elle se sentit réconfortée et reprit courage. Le second verre, elle ne le but que dans le temple. Elle pensait se cacher là si on essayait de la retrouver.

Avant de s'asseoir sur les coussins, elle s'approcha de l'autel pour regarder les attributs élémentaires, comme elle le faisait toujours. Malgré ses préoccupations, elle éprouva un sentiment de malaise en voyant la couche de poussière qui recouvrait la lame du poignard magique.

La sonnerie de la porte la précipita sur le palier. Son père alla ouvrir et elle s'attendit à entendre la voix bourrue des policiers qui venaient la chercher. Mais ce n'était que Myra qui avait oublié sa clef.

Dolly remplit à nouveau son verre.

– J'ai raté l'autobus, expliquait Myra, c'est pourquoi je suis en retard. Tu devras te contenter d'une omelette.

Harold n'aimait pas les omelettes soufflées de Myra. Il trouvait que cela ressemblait à du coton sale et poivré. Tenant sa fourchette de la main droite, il utilisa la gauche pour tourner les pages d'une biographie de la maîtresse d'Henri II, Rosamund Clifford. Avec brusquerie, Myra retira son assiette et posa devant lui une crème caramel qu'elle avait préparée la veille.

– Merci, dit Harold, sans lever les yeux.

Myra arracha le livre et le jeta sur la desserte.

– Attention ! dit Harold, tu as perdu la page.

– On ne lit pas à table !

Harold lécha consciencieusement sa cuillère.

– J'ai terminé, dit-il, d'un ton conciliant. Veux-tu que nous allions à *la Femme en blanc*.

Myra haussa les épaules.

– Qu'as-tu ? insista-t-il. Tes visiteurs te perturbent ?

Myra secoua la tête. Elle ne se soucia même pas de relever son euphémisme vulgaire.

Trente-neuf ans, c'était jeune pour la ménopause, mais ce n'était pas impossible, après tout. Elle avait lu un article dans un magazine, chez le coiffeur, où l'on disait que la ménopause se produisait entre trente-huit et cinquante-cinq ans. Mais elle paraissait si jeune ! Elle était encore si jolie, avec son teint de jeune fille qu'elle ne pouvait pas déjà glisser dans la grisaille asexuée de l'âge mûr. Elle se voyait déjà avec du duvet au-dessus des lèvres, une taille épaisse, des bouffées de chaleur et le reste.

L'autre explication à un pareil retard, elle ne voulait même pas y songer.

Il était inutile de se tracasser. Elle avait hâte de pouvoir utiliser le compte bancaire de sa mère et d'entrer en possession de ses biens.

Harold prétendait que ce n'était pas légal d'aller chercher des affaires dans l'appartement. Elle devait attendre de recevoir le feu vert. Myra ne tenait aucun compte des conseils de son mari. Quand elle eut terminé de peindre le hall, elle alla chercher deux tapis dans le salon de Mrs Brewer, une console et une reproduction encadrée d'un tableau de Turner.

Des feuilles jaunes jonchaient l'herbe poussiéreuse de la vieille voie de chemin de fer. Pup et Suzanne se promenaient, main dans la main. De temps en temps, ils s'arrêtaient pour s'embrasser ou simplement pour se tenir enlacés en se regardant dans les yeux. Ils étaient allés au cinéma de Muswell Hill, parce que le samedi les deux étudiantes passaient l'après-midi à se pomponner et ne sortaient pas avant le soir.

Sur le pont de Stanhope Road, Pup embrassa Suzanne et l'entraîna pour descendre les marches. Ils ne virent pas Myra, mais celle-ci les remarqua. Elle était sortie acheter le journal du soir et un paquet de pastilles pour son indigestion. Dolly descendait l'escalier au moment où Myra pénétra dans le hall. Elle serait passée sans même lui accorder un regard si celle-ci n'avait déclaré :

– Vous êtes ridicule de prendre cette attitude, Doreen. Que vous ai-je fait ? J'ai essayé de vous aider, c'est tout.

Dolly ouvrit la porte en silence.

– Laissez-moi vous dire que vous aurez besoin d'une amie, un de ces jours. Vous n'aurez pas toujours votre frère avec vous.

Dolly ne répondit pas, mais elle marqua un temps d'arrêt.

– Il voudra vivre sa vie et se mariera, c'est fatal. En fait, je viens de le rencontrer, la main dans la main avec une fille qui a plutôt mauvais genre. Vous n'étiez pas au courant ? Eh bien ! je suis navrée de vous l'apprendre, mais il faut faire face aux réalités : le petit frère devient un homme.

Sans un mot, Dolly sortit et referma la porte derrière elle.

Une nausée n'ayant rien à voir avec la scène qui venait de se passer et qui, en fait, ne l'avait pas quittée depuis la veille, souleva le cœur de Myra. Elle porta la main à sa bouche et courut à la cuisine se pencher sur l'évier.

Assis dans l'unique fauteuil du petit salon, Harold interrompit sa lecture de *Nicolas et Alexandra* de Robert K. Massie en l'entendant vomir. Même dans son sanctuaire, les papiers avaient été arrachés et des pots de peinture étaient posés sur des journaux. Il se leva et passa la tête dans l'entrebâillement de la porte pour dire à Myra que l'odeur de peinture devait l'indisposer.

– Tu essaies seulement de m'empêcher de rendre cette maison agréable ! répliqua-t-elle avec colère.

Ce n'est pas vrai, disait une voix à Dolly. La voix ressemblait à celle de sa mère. Elle était sortie pour acheter du vin. Non pas dans la boutique de Northwood Road – à cause du « coupeur de tête », elle n'y allait plus – mais au supermarché de Broadway. Il lui restait encore une bouteille. Elle pourrait en acheter d'autres demain, aussi fit-elle demi-tour pour rentrer à la maison. En arrivant dans le hall, elle sentit le parfum de citronnelle, juste un instant, puis il disparut. La voix de sa mère déclara très clairement et avec force : « C'est vrai. »

Pouvait-elle poser la question à Pup ? L'oserait-elle ? Et comment faire, d'ailleurs, puisqu'il était constamment absent ? Elle allait le perdre. Pup allait la quitter pour une autre. Sans jamais vraiment le formuler, elle avait toujours cru qu'ils resteraient ensemble toute leur vie. Et maintenant il y avait cette fille. Elle les imaginait se promenant main dans la main dans le crépuscule d'octobre. Bientôt il serait présenté à ses parents. Bientôt il deviendrait son fiancé. Oh ! quel chagrin ! Quelle douleur, rien que d'y penser !

Elle ouvrit la dernière bouteille de vin et s'en servit un plein verre qu'elle but, comme une personne altérée boit un verre d'eau. Si seulement il revenait ! S'il arrivait maintenant, elle trouverait le courage de lui parler, mais il ne rentrerait pas avant le milieu de la nuit. Elle s'efforça de penser à autre chose. Ce qui s'était passé sur le quai du métro aurait dû lui peser davantage. En songeant à ce qu'elle avait été sur le point de faire, elle frémissait.

Mais ce genre de réflexion ne pouvait la distraire longtemps de Pup. Des larmes roulèrent sur ses joues. Elle prit un chiffon et entra dans le temple pour essuyer les objets sur l'autel. La robe dorée de Pup était négligemment pendue derrière la porte. Dolly souffla la poussière qui s'était accumulée sur les quatre volumes de *l'Aurore dorée*, l'épais tome des *Oracles chaldéens de Zoroastre*, et les deux livres plus minces intitulés : *le Livre des morts*, et *la Clef de Salomon*. Elle nettoya et rangea tout, puis elle s'assit par terre et se remit à pleurer. Peu avant 8 heures, elle sortit acheter du vin et en passant devant la salle de bains, elle entendit Myra vomir.

Chez le coiffeur, Myra lut dans un magazine un article intitulé « Votre grossesse : comment la vivre mieux ». Sous le séchoir, elle avait des bouffées de chaleur, la sueur ruisselait le long de ses joues. Etait-il possible qu'elle soit enceinte ? Elle avait un retard de deux semaines et il y avait cinq semaines qu'ils avaient fêté l'héritage de sa mère. Ce pauvre vieil Harold n'avait pas pu lui faire un enfant. C'était impensable.

Du temps de l'homme marié, elle avait pris la pilule, mais il n'était pas prudent de l'utiliser indéfiniment. Elle avait donc arrêté en prenant certaines précautions. Cependant, elle s'était parfois montrée négligente. Un psychiatre aurait dit qu'inconsciemment, elle désirait un enfant. Et peut-être était-ce vrai. Peut-être avait-elle pensé qu'ainsi elle se l'attacherait de façon permanente, malgré sa femme. Pourtant, en dépit de leur passion et de leurs étreintes, Myra n'avait jamais connu une seule alerte. Et elle était jeune, alors, pensa-t-elle avec amertume. Lui aussi était jeune, fort et viril. Il avait déjà deux fils avec sa femme. Il était impossible qu'après avoir été incapable de concevoir pendant tant d'années, elle se trouvât maintenant enceinte de ce pauvre vieil Harold !

En revenant de la station de métro, elle traversa le pont d'Archway et rencontra Harold et Pup qui rentraient à la maison, après être passés à la bibliothèque. Pup portait les livres de son père sous son bras, ce qui agaçait toujours prodigieusement Myra, comme si, à son âge, il avait déjà besoin que son fils l'aide à porter ses affaires.

– Tu ne sors pas avec tes amis, ce soir ? demanda Dolly, quand Pup entra.

Il secoua la tête. Suzanne avait, bien avant de rencontrer Pup, décidé de passer une semaine à Corfou avec une amie. Il lui était impossible d'annuler ce voyage, car elle avait versé cent livres d'avance. Pup se demandait comment il pourrait se passer d'elle. Il se mit à table.

Toute la journée, Dolly avait répété ce qu'elle lui dirait. S'efforçant de prendre un air détaché, elle se décida, enfin, à parler.

– Ces amis avec qui tu sors... c'est une jeune fille, n'est-ce pas ?

Pup hésita. Il posa son couteau et sa fourchette. Il savait ce qu'il représentait pour sa sœur. Elle éprouvait pour lui un amour encore plus possessif que la mère de Dilip Raj pour son fils. Et la mère de Dilip Raj ne portait pas de marque de naissance sur le visage.

– Oui, dit-il sur son ton le plus doux. Comment le sais-tu ?

Dolly ne répondit pas à sa question.

– Pup, ce n'est pas sérieux, tu ne songes pas à te marier, n'est-ce pas ?

– Bien sûr que non, répondit Pup avec la plus parfaite sincérité.

Dolly avait pâli, mais maintenant, ses couleurs revenaient.

– Que veux-tu dire ? Que ce n'est pas sérieux ou que tu ne vas pas te marier ?

– Les deux. Ou plutôt, ni l'un, ni l'autre. De toute façon, elle est partie maintenant. Peux-tu me dire comment tu l'as su ?

– Notre méchante belle-mère.

Pup haussa les épaules. Dolly but son vin de Moselle et se mit à travailler à une nouvelle poupée, une danseuse de ballet, avec des cheveux noirs et un tutu.

Quand il eut terminé son repas, Pup se retira dans le temple. Il lui parut soudain petit, dérisoire. La virginité est une qualité primordiale pour un géomancien. Pup le savait bien avant de céder à la tentation. Mais aurait-il pu éloigner longtemps encore les désirs pressants qui l'avaient assailli, à coups d'invocations et de rites ?

Les livres disaient vrai : il ne pouvait plus pratiquer la magie. Depuis qu'il avait renoncé à la chasteté le don était perdu, le pouvoir disparu, la foi aussi, sans doute.

Il regarda autour de lui. En fait de temple, il ne voyait plus qu'une pièce exiguë ; l'autel était redevenu une vieille table en bambou encombrée de tout un fatras d'objets hétéroclites. Son pouvoir l'avait bel et bien abandonné. Mais n'y avait-il pas une autre explication ? Ne semblait-il pas plus juste de dire que son engouement pour la magie n'avait été qu'un substitut puéril à l'amour ? Il regarda sa collection de livres et songea à tout le savoir qu'il avait accumulé en vain. Il était regrettable de le perdre. D'autant plus que Dolly en serait très peinée. Il aimait bien Dolly et ne voulait pas lui faire de mal. Toutefois, il était hors de question de renoncer à la nouvelle découverte qu'il venait de faire de la vie ! Il lui fallait trouver un compromis.

Pup resta longtemps à la fenêtre du temple, à regarder les feuilles mortes tomber sur l'herbe sèche. Il tenait à la main le couteau dérisoire avec son manche gauchement peint. Un plan osé et cependant simple commençait à germer dans son esprit.

XII

Lorsqu'elles rencontraient Yvonne Colefax, la plupart des femmes éprouvaient une sorte de désarroi. Elles avaient beau s'habiller avec recherche et apporter un soin particulier à leur maquillage, force leur était de constater qu'il était impossible de rivaliser avec elle.

Deux choses pourtant consolaient Myra. Tout d'abord, Yvonne se montrait toujours simple et amicale. Ensuite, la seule personne au monde à qui Yvonne aurait souhaité plaire, son mari, l'ignorait superbement. Il la traitait comme une domestique et prenait sa maison pour un hôtel. Jamais Myra n'aurait supporté une situation pareille, surtout pas pendant cinq longues années. Yvonne avait beau conduire une Porsche et vivre dans une maison magnifique, cela ne remplaçait pas le respect et la considération.

Yvonne venait précisément au cabinet de Camden Town à la demande de son mari pour porter quelque chose dont il avait besoin, comme si elle n'avait pas mieux à faire de son temps.

Myra avait oublié à quel point les cheveux de la jeune femme étaient blonds et soyeux, combien elle était mince et élancée. Comme toujours, elle était habillée avec une élégance discrète et sans faille. On aurait dit que ses vêtements et leurs accessoires étaient choisis par des experts, tant tout était exactement dans les coloris appropriés. Ce matin, en particulier, elle portait un tailleur en grain de poudre sable gansé d'un fin liséré de cuir. Un petit chapeau en feutre assorti complétait l'ensemble. Le parfum Ivoire dominait l'odeur de pin qui avait été vaporisée dans la salle d'attente.

– Vous êtes absolument superbe, dit Myra, dans un élan de sincérité. Où allez-vous donc ?

– Je vais seulement faire des achats, dit Yvonne. George m'a téléphoné pour me demander de lui apporter une seringue Higgington.

– Une quoi ? demanda Myra. Pourquoi veut-il une telle seringue ?

– Une de ses patientes prétend qu'elle souffre des dents, mais George pense que ça vient plutôt de ses oreilles. Elles sont infectées et il va les lui déboucher avec la seringue.

– Il aurait pu me charger de cette course, dit Myra. Voulez-vous prendre un café, maintenant que vous êtes là ?

– J'en serai ravie. Vous êtes bonne, Myra. Je crains toujours de vous déranger.

Yvonne s'excusait constamment, comme quelqu'un qui a l'habitude d'être rebuté. Elle reprit :

– Vous paraissez un peu pâle. Comment allez-vous ?

Yvonne était charmante. Pourquoi Doreen ne se montrait-elle pas aussi prévenante ? Pendant un instant, Myra songea à se confier, mais elle écarta cette idée. Il était possible qu'Yvonne désirât un enfant et elle aurait peu de sympathie pour une femme qui redouterait cette possibilité. Aussi se contenta-t-elle de sourire en disant qu'elle était un peu fatiguée et elles parlèrent chiffons en buvant leur café.

Myra avait pris rendez-vous avec son médecin généraliste. Elle s'était munie d'un flacon d'urine, mais l'examen ne lui apprendrait rien qu'elle ne sût déjà. Elle était enceinte de huit ou neuf semaines et ce n'était pas une confirmation qu'elle désirait. Elle avait besoin d'un conseil, d'un consentement et peut-être, espérait-elle, d'une solution immédiate.

En se rendant à la station de métro, Myra songea à l'homme marié. Elle avait beaucoup pensé à lui dernièrement. C'était en automne qu'ils s'étaient rencontrés et en automne qu'ils s'étaient séparés. Myra se voyait encore devant la baie vitrée de son appartement, surveillant l'arrivée de la voiture, le regardant descendre du véhicule, claquer la portière et s'avancer d'un pas assuré, la tête haute. Il était resté mince et ses cheveux grisonnants lui donnaient seulement l'air plus distingué... Chaque mercredi, chaque vendredi et presque tous les lundis depuis des années, il venait la rejoindre. Puis un jour, elle avait eu assez de jouer les utilités. S'il ne pouvait pas quitter sa femme, elle préférait rompre. Savait-il ce qu'elle était devenue ? Pensait-il parfois à elle ?

En dépit de son rendez-vous, elle dut attendre près d'une demi-heure pour voir le médecin. Il l'examina et confirma ses craintes. Il la gronda de n'être pas venue plus tôt. A son âge, il était impératif de prendre des précautions. Il faudrait pratiquer une amniocentèse. Myra l'interrompit. Elle ne voulait pas d'enfant. Elle voulait avorter. Le médecin prit un air sévère.

– Avant de prendre une aussi grave décision, j'aimerais m'entretenir avec votre mari.

A partir de là et malgré ses supplications, le médecin refusa de céder. Il ne ferait rien pour elle, tant qu'il n'aurait pas discuté avec Harold. Myra n'avait pas envisagé cette éventualité, mais maintenant qu'elle y pensait, elle n'était pas du tout certaine qu'Harold s'opposerait à voir la famille s'agrandir. Les hommes paresseux et apathiques aiment généralement les enfants. Que ferait-elle s'il réagissait avec enthousiasme à l'annonce de la nouvelle ? Et soudain, Myra acquit la certitude que c'était bien là ce qui se passerait. Harold serait flatté dans sa vanité de mâle et refuserait de parler de mettre un terme à cette grossesse.

Dès qu'elle fut rentrée chez elle, Myra ouvrit le journal et chercha l'annonce qui avait attiré son attention. Elle téléphona aussitôt. Une voix aimable lui répondit qu'avant d'être admise à la clinique, elle devrait verser cinq cents livres. Myra raccrocha. Elle n'avait plus que vingt livres à son compte, et il faudrait peut-être attendre encore des semaines avant que la succession ne soit réglée.

Pup avait des projets pour l'extension de Yearman et Hodge. Dès qu'il aurait passé son permis de conduire, il achèterait une camionnette. Il avait commencé à s'occuper du service après-vente mais ce serait plus pratique lorsqu'il serait motorisé. Et puis, il était nécessaire de s'orienter vers des produits nouveaux. L'avenir appartenait aux machines à traitement de textes, aux micro-ordinateurs.

– Je vois que tu as l'esprit d'initiative, déclara Harold, comme si son fils avait attrapé une mauvaise bronchite.

Pup se rendit à pied à Muswell Hill, bien que le temps fût humide. En rentrant à la maison, se promit-il, il ferait un peu de magie pour Dolly. Il exécuterait un rituel avec de l'encens, du vin et des roses. Il lui devait bien ça.

La jeune fille qui lui ouvrit la porte lui expliqua qu'elle faisait des travaux de dactylographie à la maison. Elle était en train de taper une thèse de philosophie quand la lettre G s'était cassée.

Pup se mit au travail. C'était une Adler et il connaissait bien cette marque. La jeune fille le regardait. Elle était assez quelconque, avec un visage long et un gros nez, mais elle avait des cheveux blonds qui tombaient jusqu'à la taille et une très jolie silhouette mise en valeur par des jeans moulants et un T-shirt rouge. Les deux visiblement neufs. Pup se demanda si elle les étrennait en son honneur. Ils s'étaient rencontrés à la boutique. Au bout d'un moment, elle sortit une bouteille de Cinzano.

– Mais peut-être ne buvez-vous pas pendant votre travail ?

– Je ne suis pas policier.

– Vous savez, les femmes se demandent toujours comment ce serait avec l'homme qui vient réparer la télévision.

– Ou l'Adler 5 000.

Elle remplit deux verres.

– Comment vous appelez-vous ? Je sais que votre nom est Yearman, mais quel est votre prénom ?

– Peter. Et vous ?

– Philippa. Combien de temps vous faudra-t-il encore pour réparer cette machine ?

– Environ cinq minutes, Philippa.

– J'avais peur que votre père vienne à votre place. Je veux dire qu'avec lui, j'aurais remballé mes fantasmes. Encore un verre ?

– Pas si vous désirez que je répare convenablement cette machine.

Lorsqu'il était encore chaste, Pup avait su se tirer de ce genre de situation en faisant semblant de ne pas comprendre. Ah ! où était ce temps-là ?

– Voilà. Ce G ne vous ennuiera plus. Est-ce que vous êtes assujettie à la T.V.A. ?

– Qui, moi ?

– On ne doit jamais se fier aux apparences.

Il était tout près d'elle maintenant et souleva une mèche de cheveux qui tombait sur son T-shirt. En dépit de son aventure avec Suzanne, il ne se sentait pas très sûr de lui, aussi utilisa-t-il la tactique qui lui avait si bien réussi la première fois.

– Par exemple, vous vous imaginez que je suis un garçon expérimenté, alors qu'en réalité, je suis encore vierge.

– C'est incroyable !

– Il y a tant de choses extraordinaires sur cette terre, Philippa. Plus encore que dans toute la philosophie que vous tapez à la machine.

– Eh bien ! Vous n'allez pas rester dans cet état toute votre vie. Je veux dire que vous avez sans doute l'intention d'y mettre fin, un jour ou l'autre.

– J'aimerais beaucoup que ce jour soit venu, dit Pup avec enthousiasme.

Un peu fatigué, il rentra chez lui tout en songeant à Dolly. Comment lui faire plaisir sans sacrifier sa liberté ? Le lendemain soir, il avait rendez-vous avec Philippa et il devait passer le samedi avec Suzanne qui était revenue de Corfou. Maintenant que Myra l'avait alertée, jamais Dolly ne croirait qu'il consacrait tout ce temps à Chris Theofanou. Pup n'était pas un garçon vindicatif, mais en ce moment il se sentait furieux contre sa belle-mère : il n'aimait pas la méchanceté gratuite.

Un cours du soir ou un club, ou, mieux encore, un mélange des deux serait parfait. Pup n'éprouvait aucun scrupule à mentir quand c'était pour la bonne cause et son plan le séduisait. Il paraissait à toute épreuve.

Dès qu'il entra, Dolly se mit à ronchonner :

– J'en ai assez d'être obligée de vivre ici. J'en ai assez de devoir descendre toutes ces marches chaque fois que je veux utiliser la salle de bains. C'est injuste. Mes clientes ne veulent pas grimper jusqu'ici et je ne peux pas me permettre de dépenser tout mon argent en tickets d'autobus pour aller faire des essayages.

– J'ai quelque chose à te dire, déclara gravement Pup.

– Au sujet de cette fille ?

– Pas du tout. As-tu entendu parler de l'Ordre hermétique de l'Aurore.

Soulagée, elle acquiesça.

– J'ai vu ce nom à plusieurs reprises dans un de tes livres.

– Eh bien ! J'en fais partie. J'ai pensé que c'était nécessaire. Bien sûr, il me faudra assister à des réunions, des séminaires, des cours spéciaux plusieurs fois par semaine. Parfois même le week-end. Mais si je veux devenir géomancien, je n'ai pas le choix.

Dans le livre, se rappelait Pup, on ajoutait que la secte, fondée par Crowley, Yeats et quelques autres en 1880, avait disparu dans les années trente. Si jamais Dolly s'avisait de consulter les innombrables pages sur ce sujet, il pourrait toujours dire que l'Ordre avait connu une résurgence, quelques années plus tôt.

Dolly tourna vers lui un visage radieux.

– C'est merveilleux, Pup ! Ce sera un tremplin pour ta carrière.

En fait de carrière, Pup songeait surtout à développer les affaires de son père.

– Je vais être officiellement admis en tant que membre, demain soir, précisa-t-il.

Après le souper, se souvenant de sa résolution, il entra dans le temple et invita Dolly à le suivre. Elle accepta avec une joie sans mélange et s'installa sur un coussin devant le *tattwa* du feu pour l'observer. Pup regarda les attributs élémentaires avec agacement. Cette cérémonie était ridicule. Pourquoi s'était-il passionné pour de telles inepties, au lieu de s'intéresser au football ou de faire collection de timbres ?

– Bien. Alors, que vais-je faire ?
– Est-ce à toi de le demander ?
– Je veux dire, t'intéresses-tu à un sujet particulier ? Veux-tu que j'évoque un dieu ?
Elle hésita.
– Un jour, tu deviendras un maître, n'est-ce pas ? Et tu seras capable d'accomplir n'importe quoi – même des miracles !
Ses mains ne s'étaient pas portées à sa joue, mais il comprit ce qu'elle voulait dire. La panique le gagna. C'était trop. La crédulité de Dolly devenait agaçante et le rôle qu'elle le forçait à jouer l'écœurait. Il aurait mieux fait, tout à l'heure, de lui dire que c'était terminé, qu'il ne croyait plus à ces bêtises. Vite, il lui fallait trouver quelque chose, avant qu'elle ne formule cette monstrueuse demande.
– Je sais, dit-il, nous allons nous occuper de notre méchante belle-mère !
L'attention de Dolly fut aussitôt détournée. Elle se leva pour aller chercher la poupée représentant Myra et apporta en même temps un verre de vin rouge.
Pup tira les rideaux et alluma les quatre chandelles. Le temple était maintenant plongé dans une pénombre propice à l'exécution de rites cabalistiques.
Toute cette cérémonie serait assommante et pour satisfaire Dolly, elle devrait durer au moins une heure. Enfilant sa robe, Pup étouffa un bâillement. Son père et Myra étaient déjà couchés, ou du moins son père, car la fenêtre de la salle de bains était encore éclairée.
Pup traça un cercle à la craie sur le sol et dessina un pentacle à l'intérieur. Dolly le dévorait des yeux. Assise bien sagement sur les coussins, la poupée dans les bras, elle avait l'air d'une petite fille. Comme toujours, elle arborait fièrement le talisman. Dissimulant son exaspération, Pup saisit la poupée et la plaça au centre du pentacle.

– Donne-lui une maladie ! commanda Dolly, avec méchanceté. Elle a souffert de l'estomac dernièrement. Donne-lui une crise d'appendicite !

– C'est excessif, protesta Pup.

Néanmoins, il s'exécuta et, tourné vers l'est, traça la croix cabalistique, avant de commencer l'incantation. C'était le rite du Moindre Bannissement, mais il en avait oublié la formule exacte et ne tarda pas à la mélanger avec des extraits d'invocations de toutes sortes.

A l'école, Pup avait suivi quelques cours d'initiation au latin. Il récita les déclinaisons dont il se souvenait. Puis il abandonna ce préambule, prépara l'eau sacrée et en aspergea le sol. Levant alors le bras dans un geste auguste, il profita de ce que sa manche était retroussée pour jeter un coup d'œil sur sa montre. 10 heures et quart. Il pourrait s'arrêter bientôt.

Lorsqu'il eut épuisé le stock de noms hébreux et égyptiens qu'il connaissait, Pup saisit le poignard sur l'autel et le brandit au-dessus de sa tête, sans se rendre compte à quel point sa silhouette était menaçante, dressée ainsi dans la lueur des chandelles.

Dolly poussa un petit cri de frayeur. Pup plongea avec la grâce d'un samouraï et frappa le ventre de la poupée d'un geste ferme. Pendant un instant, le poignard resta planté dans l'abdomen et il dut utiliser son autre main pour l'arracher. Un peu de kapok sortit comme un gros ver blanc. Dolly eut envie d'applaudir, mais sentit que ce serait déplacé en ce lieu. Elle se leva et quitta le temple sans toucher à la poupée tandis que Pup, débarrassé de sa robe, soufflait les chandelles.

De retour au salon, Dolly vida le restant de la bouteille de vin. Dehors le vent soufflait par rafales et secouait les persiennes. C'est alors qu'elle entendit sa mère lui dire très distinctement et de sa voix normale :

– Quelle nuit nous allons avoir ! J'espère que le vent n'emportera pas les tuiles du toit.

Edith avait toujours aimé faire des commentaires sur le temps. Pup entra dans la pièce et Dolly souhaita que leur mère parlerait encore, pour qu'il puisse l'entendre, mais elle garda le silence.

– Ne sens-tu pas quelque chose ? demanda Dolly.

– Les cierges ?

Dolly secoua la tête.

– Viens, je vais préparer une tasse de cacao.

Ils étaient sur le palier, dans l'obscurité et cette fois ce fut lui qui posa une question :

– Tu n'entends rien ?

– C'est le vent, répondit-elle en cherchant l'interrupteur, sans le trouver.

– On aurait dit un cri, dit Pup.

Il alluma la lumière et ils entrèrent dans la cuisine. Les vitres tremblaient sous l'assaut de la bourrasque. Dolly posa une casserole de lait sur le feu et sortit la boîte de cacao. Soudain, malgré le gémissement du vent, ils entendirent un bruit sourd en bas.

Dolly saisit le bras de Pup :

– Que se passe-t-il ? Crois-tu que quelqu'un se soit introduit dans la maison ?

– Cela vient de la salle de bains. La lumière y est allumée depuis des heures.

Il retourna sur le palier et se pencha au-dessus de la balustrade.

– Je me demande si papa ne serait pas malade.

– Mieux vaut aller voir.

Le lait monta dans la casserole et déborda, éteignant le gaz. Pup tourna le bouton. Ils descendirent et essayèrent d'ouvrir la porte de la salle de bains. Elle était fermée à clef. En revanche, celle de la chambre était entrouverte. A l'intérieur, il faisait sombre, mais Pup distingua une forme allongée dans le grand lit. Il s'approcha. Son père dormait profondément.

Tandis que Dolly secouait en vain la clenche, Pup remonta dans la cuisine chercher un morceau de fil de fer qu'il glissa dans la serrure. Après quelques essais infructueux, il réussit à faire tomber la clef et la récupéra en utilisant le fil de fer comme un crochet.

La porte s'entrebâilla sur deux ou trois centimètres. Pas plus. Quelque chose de lourd la bloquait. Pup poussa de toutes ses forces et ils parvinrent enfin à entrer. C'était le corps de Myra qui obstruait le passage.

Elle était étendue sur le sol, à demi nue. A côté d'elle, une grande seringue terminée par une poire gisait dans une flaque d'eau savonneuse. Son visage était aussi pâle que de la cire et quand Dolly, tremblant de tous ses membres, décrocha un miroir pour le tenir contre ses lèvres, aucune buée ne se forma sur la glace.

– Elle est morte, murmura-t-elle.

– Ce n'est pas possible. Il n'y a pas de sang.

Dolly leva sur son frère un regard où se mêlaient l'admiration et l'incrédulité.

– Tu sais bien qu'elle est morte. (Poussant un soupir qui ressemblait à un sanglot, elle ajouta :) Mieux vaut réveiller papa.

– Je m'en charge, dit Pup.

Dolly ramassa la seringue et la posa sur le lavabo. En soulevant le pantalon du pyjama de Myra plié sur le tabouret, elle découvrit un carton portant l'inscription *Seringue Higgington.*

Un sentiment de pudeur la poussa à recouvrir le cadavre avec une serviette de bain.

Puis elle épongea la flaque d'eau et regarda en tremblant la morte à ses pieds.

XIII

A l'enquête, le médecin légiste déclara que Myra était morte en tentant de s'injecter dans l'utérus une solution de shampooing. Elle n'avait pas eu le temps de souffrir ; l'embolie gazeuse l'avait tuée net.

Pup n'en était pas si sûr. Il se souvenait avoir entendu un cri. Et en dépit des affirmations du médecin, il lui semblait étrange qu'une petite bulle d'air pût terrasser une femme jeune et vigoureuse aussi facilement. On aurait plutôt dit que Myra avait été victime d'une force extérieure contre laquelle sa vitalité ne pouvait rien.

Les funérailles eurent lieu au crématorium de Golders Green où Edith avait également été incinérée. George et Yvonne Colefax y assistèrent, ainsi qu'un cousin de Myra qui avait été témoin à son mariage, mais Dolly refusa de se montrer.

Durant l'office, un inconnu aux tempes argentées et à la démarche élégante se glissa au fond de la chapelle. George Colefax le salua d'un signe de tête. C'était lui qui l'avait prévenu. Dès la fin de la cérémonie, l'inconnu s'éclipsa discrètement.

Harold se fit reconduire à la maison par les employés des pompes funèbres, mais Pup accepta de monter dans la grosse Mercedes des Colefax. George devait déposer Yvonne chez une amie à Muswell Hill et Pup se rendait justement dans le quartier.

George ne desserra pas les dents. A côté de lui, Yvonne essuyait ses larmes. Elle portait un élégant tailleur noir, un chemisier en crêpe de Chine blanc et un petit chapeau à voilette. Assis à l'arrière, Pup regrettait de ne pas voir ses longues jambes gainées de filet noir ainsi que ses pieds cambrés dans leurs chaussures à hauts talons. Elle pleurait doucement, s'excusant de se donner ainsi en spectacle. Elle aimait tant Myra ; c'était une de ses rares amies. Pup la détaillait à la dérobée, surpris de constater que les larmes glissaient sur son visage sans le colorer d'une rougeur disgracieuse. Il espérait pouvoir descendre de voiture en même temps qu'elle, mais George Colefax l'arrêta à Queen's Avenue et il dut s'éloigner seul après les avoir remerciés.

Sans Myra la maison était étrangement silencieuse et pathétique avec ses meubles bon marché. Lorsqu'elle l'eut pour elle seule – Pup et Harold étant partis travailler – Dolly se mit à déménager. Elle descendit la machine à coudre et la porta dans le salon qui avait été l'orgueil de Myra. La commode où elle rangeait ses coupons de tissu et ses patrons ainsi que la poupée vêtue en danseuse de ballet réintégra elle aussi la place qu'elle avait toujours occupée. Quant à l'autre poupée – celle qui représentait Myra – Dolly l'avait récupérée dans le temple peu après la découverte du cadavre. Elle décida de la brûler. Une fumée âcre envahit la pièce ; la cheminée n'avait pas été utilisée depuis la mort de la mère d'Harold. Néanmoins, avec l'aide de journaux et de morceaux de cageot, elle réussit à la réduire en cendres.

Ce fut avec une impression de soulagement, presque de triomphe qu'elle s'installa dans son ancienne chambre et transporta les affaires de Pup dans la sienne. Ce soir-là, ils dînèrent tous les trois à nouveau dans la cuisine. Dolly servit des surgelés et ouvrit des boîtes de conserve, comme au bon vieux temps. Le règne des poivrons farcis était révolu. Si Harold remarqua ce retour aux traditions, il n'en montra rien. Il mangea en silence, son livre posé contre le pichet d'eau et quand le repas fut terminé, il alla s'enfermer dans le petit salon. Dolly lui avait demandé s'il voulait qu'elle range la pièce et la débarrasse des pots de peinture, mais Harold avait refusé, désirant la garder comme Myra l'avait laissée.

Ron et Eileen Ridge, qui étaient en vacances en Espagne au moment de la mort de Myra, vinrent faire une visite de condoléances.

– C'est ma faute, gémit Harold, c'est moi qui l'ai tuée.

Ron eut l'air embarrassé.

– Ne dites pas cela !

– Je le maintiens, s'obstina Harold avec une fierté morbide. Si ce n'était à cause de moi, elle serait encore en vie, aujourd'hui. Nous autres hommes avons beaucoup de responsabilités en ce bas monde.

– C'est assez juste, concéda Ron.

Harold leur montra le petit salon où les pots de peinture s'alignaient contre le mur, à côté des pinceaux de Myra.

– Comme c'est touchant ! J'en ai les larmes aux yeux.

– C'est le moins que je puisse faire, Eileen, dit Harold. Quand on songe que c'est moi qui l'ai tuée...

– Il n'a aucune raison de dire cela, déclara Dolly à Pup. (Puis elle ajouta ce qu'il avait redouté entendre :) C'est toi qui l'as tuée.

Pup referma la porte d'une main ferme. Il avait pâli.

– Tu ne dois pas dire une chose pareille.

– Pourquoi ? Tu as effectué le rituel et une demi-heure plus tard, elle était morte. C'est toi qui nous en as débarrassés en poignardant la poupée.

– Dolly, ce n'était qu'une coïncidence. Myra s'est tuée elle-même. Je t'ai répété ce que le médecin légiste avait déclaré.

– Oui et tu as ajouté que tu avais peine à croire qu'une bulle d'air pût être responsable de sa mort. C'est ta magie qui l'a tuée, tu le sais bien. Tu possèdes le pouvoir, comme Mrs Fitter. Et comme Mrs Fitter, tu seras célèbre un jour. N'est-ce pas ce que tu désires ?

Pup aurait aimé la détromper, au moins en ce qui concernait Mrs Fitter. Il fut sur le point de lui révéler la vérité, mais il se ravisa. Le comportement de Dolly était préoccupant depuis quelque temps. Son regard prenait parfois une fixité inquiétante, comme si elle voyait des choses qu'elle seule pouvait percevoir. Si Pup était allé au fond de sa pensée, s'il avait voulu affronter la réalité, il aurait constaté que sa sœur était dérangée. Mais il préférait se voiler la face. La mort de Myra, les divagations de Dolly et tout ce qui touchait à la magie, l'occultisme, le surnaturel, les bons ou les mauvais esprits l'assommaient.

Il aurait souhaité monter au grenier et démanteler le temple. Mettre le poignard, la baguette et le pentacle à la poubelle, vendre les livres à un bouquiniste et repeindre les murs de la mansarde avec la peinture « sable doré » de Myra.

En revenant à pied de son travail, il décida qu'il mettrait ce projet à exécution – au moins en partie – dès qu'il aurait dîné. Mais lorsque Dolly leva son visage vers lui pour l'embrasser, il comprit qu'il ne pourrait s'y résoudre. Se débarrasser du temple, renier ses pouvoirs ? Que deviendrait, alors, l'alibi dont il se servait avec tant de succès pour préserver sa liberté ? Il était probablement déjà allé trop loin en refusant d'accepter la responsabilité de la mort de Myra.

– Tu as une réunion demain soir, n'est-ce pas ?

demanda Dolly, comme pour conforter la position dans laquelle il s'enlisait.

Pup acquiesça. Il devait se rendre chez Suzanne.

– Le leur diras-tu ?

Il la regarda sans comprendre.

– Leur dire quoi ?

– Que tu as fait mourir Myra.

Son bon sens protesta. Chaque mot était un affront. Il se rendait soudain compte de ce qu'il attendait de la vie : de l'argent, du succès, des femmes. Tout ceci, il l'obtiendrait. Mais en regardant sa sœur, il voyait aussi autre chose : c'était par sa faute qu'elle en était arrivée là. S'il n'avait pas vendu son âme au diable, Dolly n'aurait jamais rien su de l'occultisme. S'il n'avait pas construit le temple, Dolly n'aurait jamais vu dans la magie que des tours exécutés par des prestidigitateurs, à des matinées enfantines. C'est lui qui avait commencé et pour la tranquillité de sa sœur, aussi bien que pour la sienne, il ne pouvait la détromper.

Il lui sourit.

– Dolly, tu sais que je maîtrise certains pouvoirs. Tu peux aller le raconter, mais ne parle pas de Myra. Ne vois-tu pas pourquoi, ma chérie ? On ne doit pas tuer les gens. C'est interdit par la loi.

Elle réfléchit et acquiesça. Quand elle reprit la parole, au bout d'un moment, il constata avec soulagement qu'elle changeait de sujet.

– Ne dois-tu pas passer ton permis de conduire, demain ?

– Oui, à 10 heures.

Elle posa sa main sur son bras :

– Allons au temple et exécutons un rituel.

– Je réussirai de toute façon.

– N'est-ce pas pour cela que tu as appris la magie ? Pour obtenir le succès dans tout ce que tu entreprends ?

Comme elle avait bien retenu la leçon qu'il lui avait apprise !

Il tenta de se défiler en prétextant ne plus avoir de bâtons d'encens. Peine perdue, Dolly en avait acheté. Installée sur les coussins avec son verre de vin, elle le regarda tracer une croix cabalistique et ânonner la formule requise.

Le lendemain il obtint son permis de conduire, comme il l'avait prévu.

– Maintenant, tu vas vouloir une camionnette, dit Harold.

– J'en prends livraison cet après-midi.

Harold, qui était plongé dans le récit des chagrins du prince Léopold, après la mort en couches de la princesse Charlotte – un sujet assez proche de sa propre situation – plaça son doigt dans le livre pour marquer la page et dit :

– Tu n'as pas perdu de temps.

– Et l'appartement de Mrs Brewer ? Que penses-tu faire de l'argent que tu vas en tirer ?

– Une minute, mon garçon, ne sois pas si pressé. Il faudra des mois et des mois avant que la succession ne soit liquidée.

– Peut-être. Mais nous pourrions l'apporter en garantie d'un prêt bancaire et racheter une boutique de Crouch Hill. Les baux vont venir à expiration cet été. J'ai tout prévu.

– Je ne saurais le dire, déclara Harold, en pâlissant.

– C'est le moment de prendre de l'extension. Et puis, j'ai remarqué qu'une tour vient d'être érigée dans Archway.

– Nous n'allons pas déménager pour nous installer dans une tour !

– Bien sûr que non. Il ne s'agit pas de cela.

Harold lui adressa un regard désapprobateur et retourna à sa lecture :

– Je ne sais vraiment pas de qui tu tiens.

– Je ne sais pas où nous allons aller, dit Suzanne en s'asseyant sur son lit. Elles ont dit qu'elles utiliseraient la salle de bains pendant une demi-heure, mais ça m'étonnerait qu'elles fassent aussi vite.

– J'ai une voiture, déclara Pup, ou plutôt une camionnette, sans fenêtre à l'arrière. Et j'ai apporté un duvet.

– Tu plaisantes !

– Viens voir. Nous pourrions aller jusqu'à Heath.

– Tu es vraiment stupéfiant, dit Suzanne, en se jetant à son cou.

On construisait une résidence pour personnes âgées à Mount Pleasant Green. Il faisait si froid que les bâches s'étaient raidies sur les tas de briques. Pour une fois, le ciel dévoilait ses myriades d'étoiles. Les maisons éclairées qui entouraient la pelouse paraissaient se recroqueviller dans la nuit glaciale.

– Je me sens toujours mieux quand le solstice d'hiver est passé, déclara miss Finlay, en trottant comme une dératée.

Les caractères grossiers d'une affiche ronéotypée annonçaient la séance de Roberta Fitter. Dolly avait payé ses cinq livres et venait de son plein gré, mais cette affiche lui déplut.

– On devrait faire appel à mon frère.

– Il n'est pas médium, voyons.

– Il pourrait l'être. Il possède des pouvoirs stupéfiants. J'ai pris froid, la semaine dernière et il m'a guérie. Dès le lendemain, je n'avais plus rien.

Pup avait refusé de l'accompagner cette fois. Enfin, pas vraiment. Il avait une réunion. Il sortait tout le temps, maintenant. C'est pourquoi elle voulait revoir Edith, ce soir, et si possible la ramener avec elle de façon plus positive, avoir d'elle autre chose que sa voix. En entrant dans le hall, elle espérait sentir le parfum de citronnelle, mais il n'y régnait qu'une odeur de désinfectant.

Il faisait froid dans la salle en dépit des deux radiateurs électriques. Les rideaux étaient ouverts et une couverture écossaisse attendait Mrs Fitter, sur son siège.

Cette fois, on ne demanda pas à Dolly d'assister à l'habillage du médium. Avec beaucoup de bonne grâce, comme si elle s'adressait à une novice privilégiée, Mrs Leebridge lui donna les vêtements noirs pour les faire circuler. De nouveau, miss Finlay s'appliqua à retourner le collant et à inspecter les chaussons. Roberta Fitter mit longtemps à se préparer et un murmure reconnaissant s'éleva du maigre auditoire quand elle apparut, enfin, dans sa robe informe et monta sur l'estrade pour aller s'asseoir dans le fauteuil en tirant la couverture sur ses genoux.

– Elle n'a vraiment aucun mal à entrer en transe, murmura miss Finlay. C'est un don que j'aimerais avoir. J'ai de plus en plus de mal à m'endormir.

– Chut ! dit Mrs Leebridge.

Quand les lumières s'éteignirent la salle se trouva plongée dans une obscurité totale. Puis Mrs Collins alluma la lampe rouge sur la scène. Dolly poussa un soupir de soulagement. Le noir complet, ajouté à la température sépulcrale, l'avait paniquée. Bien qu'elle portât des gants fourrés, ses mains étaient glacées. Elle les frotta pour se réchauffer.

Les rideaux s'entrouvrirent enfin sur la silhouette enturbannée de Hassan.

– Bonsoir, mes amis.

Deux ou trois personnes répondirent. Les rideaux frémirent et il disparut dans la pénombre. Le silence tomba de nouveau dans la salle. Quelqu'un avait éteint les radiateurs. Dolly, qui commençait à s'habituer à l'obscurité, regarda avec un sentiment de malaise ses voisins de droite se tenir la main. Elle se tassa sur sa chaise. Si rien ne se passait dans les quelques minutes suivantes, elle devrait s'en aller. Quelqu'un toussa avec nervosité.

Puis, quand la tension eut atteint son paroxysme, la voix d'Hassan s'éleva :

– Y a-t-il ici quelqu'un qui a perdu une personne ayant la main verte ? Un jardinier, peut-être.

L'auditoire resta silencieux.

– Il attend pour apparaître, dit Hassan. Un fleuriste, peut-être.

Derrière Dolly une femme s'agita.

– Mon mari était marchand de légumes.

– C'est la voix.

Le rideau frémit. Une silhouette s'avança, enveloppée d'un drap blanc sur lequel jouaient les reflets rouges de la lampe.

– Est-ce toi, Stan ?

Dolly entendit une chaise craquer derrière elle, tandis que la veuve du marchand de légumes se levait et disait dans un sanglot :

– Tu me manques tellement, Stan, je t'en prie, donne-moi la main.

Le spectre étendit une longue main maigre. Le bras qui surgit du drap blanc frôla la joue de Dolly. Derrière elle, la femme se pencha, mais l'esprit recula précipitamment et disparut sans avoir proféré le moindre son.

– Il ne m'a pas parlé, gémit la veuve. Je me demande s'il est fâché contre moi. Je n'ai pu continuer à tenir le magasin. J'ai essayé, mais c'était au-dessus de mes forces. Oh ! Stan ! Pourquoi ne m'as-tu rien dit ?

– Silence, mes amis, dit Mrs Collins. Nous devons rester tranquilles.

La voix de la femme s'éteignit dans un murmure. L'assistance était paralysée par le froid. Dolly était tellement glacée qu'elle en tremblait. Hassan intervint à nouveau.

– Il y a là une femme qui désire apparaître. Elle est morte avant son heure. D'une opération ou d'une blessure au ventre.

Dolly se figea. Sa mère avait subi deux opérations abdominales avant de mourir. Elle attendit le parfum de citronnelle. En vain. Le spectre qui patientait au bord du monde des vivants n'était donc pas Edith.

Puis elle s'inquiéta. Pourquoi personne ne réclamait cette femme ? Oh ! mon Dieu, faites qu'on la réclame ! pria Dolly.

– Une jeune femme, insista Hassan. Elle est morte en novembre dernier.

Alors, Dolly comprit. C'était pour elle que le spectre venait. Elle rassembla son courage :

– Est-ce pour moi ?

– C'est la voix !

Les rideaux s'écartèrent et Myra se montra. Elle portait une longue robe blanche, comme toutes les apparitions, mais la lampe faisait briller ses cheveux roux et quand Dolly vit la tache de sang sur sa jupe, elle se leva d'un bond. Le hurlement qui jaillit de sa gorge ne s'éteignit que lorsque Mrs Collins lui appliqua une main ferme sur la bouche.

Myra recula vivement et disparut. Roberta Fitter était toujours assise, le regard fixe, comme une démente. Dans la salle quelqu'un cria :

– Allumez la lumière !

– Non ! C'est impossible, dit Mrs Leebridge, vous la tueriez. Regardez ce qu'a fait cette jeune fille ! (Elle s'approcha de Mrs Fitter et lui prit la main.) C'est un miracle que l'ectoplasme ne l'ait pas brûlée.

Dolly se dégagea de l'étreinte de Mrs Collins et se sauva en courant.

Elle n'échapperait plus à Myra maintenant. Elle savait que sa méchante belle-mère l'attendait sous le porche, non pas visible et tangible, mais présente par la voix.

– Je peux vous raccompagner à la maison, Doreen.

Dolly ouvrit la porte et sortit. La neige commençait à tomber en fine poudre blanche et elle se dirigea vers la maison. Myra marchait à ses côtés.

XIV

Le sac en plastique de chez Harrods traînait dans un coin de la chambre. Diarmit ne l'ouvrait jamais. Il savait qu'il contenait les couteaux et le hachoir de Conal Moore. Et Conal Moore était un voleur doublé d'un meurtrier qui, quand la police était venue le chercher, avait fui en Irlande.

Conal Moore avait une sœur et un beau-frère à Kilburn. Ils ne voulaient plus entendre parler de lui à cause de sa conduite inqualifiable. En fait, personne ne voulait plus entendre parler de lui, sauf la police. Conal Moore avait commis un crime odieux. Il était allé se cacher dans un tunnel sur la vieille voie de chemin de fer et il avait tué et dépecé une jeune fille. Après quoi, il s'était sauvé. Mais avant de partir, il avait eu le bon sens d'abandonner cette chambre et certains de ses biens aux bons soins d'un citoyen respectueux des lois appelé Diarmit Bawne.

Seul Diarmit savait qu'il était en Irlande et qu'il avait tué une jeune fille. Seul Diarmit savait où se trouvaient les armes qu'il avait utilisées. Il avait l'intention de faire une déclaration à la police, mais pour le moment, il était trop occupé. A l'encontre de Conal Moore, Diarmit était un homme responsable, travaillant dur. Il avait un emploi, lui.

Diarmit se souvenait bien de Conal Moore. C'était un grand nerveux sans cesse assailli par des frayeurs ridicules. Par exemple, Conal avait peur que les ouvriers viennent démolir la maison. Il avait peur de se trouver enseveli sous les décombres. Comment peut-on être aussi stupide ? D'abord, on l'aurait vu s'il avait mis la tête à la fenêtre. Conal était certes un petit homme insignifiant, mais pas au point que l'on ne puisse le voir. Diarmit avait conservé ses vêtements. Ce n'était pas qu'il aimât l'idée de porter les vêtements d'un meurtrier, spécialement ce pantalon rouge foncé et cette chemise que Conal avait choisis afin que l'on ne vît pas les taches de sang, mais puisqu'ils étaient là, mieux valait les utiliser.

Diarmit Bawne n'avait plus de famille. Il était seul au monde, mais Conal Moore avait une douzaine de frères et de sœurs qui vivaient à Londres, à Liverpool et à Birmingham. C'étaient à eux qu'incombait la responsabilité de Conal maintenant. Diarmit avait fait assez pour lui en s'occupant de sa chambre, de ses vêtements et de ce qui lui appartenait.

Deux ou trois semaines après que Conal se fut enfui, Diarmit avait trouvé un emploi chez un boucher grec. C'était tout près de Mount Pleasant Gardens. Le Grec ne comprenait pas grand-chose de ce que Diarmit disait et Diarmit guère plus de ce que disait le Grec, mais cela leur convenait à tous deux. Jusque-là, le Grec avait toujours employé des compatriotes trop bavards. Il préférait quelqu'un qui le laissât tranquille. Diarmit le laissait tranquille. Il avait ses propres soucis. Conal Moore le préoccupait beaucoup.

Son indolence, ses frayeurs irraisonnées auraient fait mauvaise impression sur Georgiou et Conal n'aurait pas obtenu ce travail. Il était d'ailleurs probable qu'il n'avait pas non plus de travail en Irlande. Les gens comme lui étaient des parasites, toujours au chômage ou pis encore, sur le dos de leur famille. Conal avait cru pouvoir s'incruster chez ses parents à Kilburn, mais son beau-frère avait été trop malin pour se laisser faire. Plus personne dans la famille ne voulait le revoir. Il était vraisemblable que Conal ne reviendrait jamais. Il se perdrait en Irlande et ses crimes disparaîtraient avec lui ou, alors, il serait arrêté et passerait le reste de sa vie en prison. De toute façon, on serait débarrassé de lui. Parfois Diarmit pensait qu'il valait mieux ne pas aller à la police. Les policiers n'avaient même pas eu la courtoisie de lui dire comment progressait l'enquête. De plus, il lui faudrait leur raconter tout ce qu'il savait sur Conal. Cela prendrait des heures, car il le connaissait aussi bien qu'il se connaissait lui-même et, très franchement, il commençait à avoir assez de lui. Souvent même il se disait qu'il aurait bien aimé pouvoir le chasser à tout jamais de son esprit.

Georgiou avait naguère employé deux garçons bouchers et une jeune fille à la caisse, mais ces temps-là étaient révolus. Il n'y avait plus que lui et Diarmit dans la boutique. Le bail arrivait à expiration l'été prochain et Georgiou savait que son loyer serait augmenté. Il ne lutterait pas. Il ferait au propriétaire une offre raisonnable et s'il n'acceptait pas, tant pis ! Les gens disaient que les loyers allaient être doublés. Si tel était le cas, il prendrait sa retraite. Il avait plus de soixante ans, de toute façon. Bien sûr, Diarmit se retrouverait sans emploi, mais ce n'était pas son affaire.

Diarmit était assis à sa fenêtre et regardait le groupe d'immeubles que l'on construisait en face. Bientôt ce serait une résidence pour personnes âgées. Sa pauvre mère aurait bien mérité d'habiter un de ces appartements. Mais elle était morte – Dieu ait son âme – et Conal vivait encore. Jamais Conal ne se serait préoccupé de sa vieille mère. Il était trop égoïste et n'avait aucun sens des responsabilités.

Parfois, Diarmit nettoyait sa chambre à fond. La première fois qu'il se mit à la tâche, il fut stupéfait du désordre et de la saleté que Conal avait laissés derrière lui. Des reliefs de nourriture étaient tombés derrière les meubles et avaient séché dans la poussière. Il avait trouvé un amoncellement de sachets de thé moisis sous le lit. Des vêtements sales traînaient par terre. Un tiroir qui avait contenu des biscuits était rempli de crottes de souris.

Lorsqu'il eut terminé, Diarmit se sentit plus propre et libéré. Il ne lui restait plus qu'à nettoyer son esprit, le débarrasser de Conal. C'était beaucoup plus difficile. Conal le hantait constamment ; il l'accompagnait au travail, dans la boutique ; il s'asseyait avec lui à la fenêtre ou sur le banc de la pelouse.

Et la nuit, Diarmit le voyait en rêve, les poings liés, un bâillon sur la bouche, ou encore gravissant une colline, un lourd sac sur les épaules.

XV

Assis dans le petit salon, au milieu des souvenirs de Myra, Harold écrivait son roman. L'idée lui en était venue quelques mois plus tôt, à l'époque du vingtième anniversaire de Pup. Il avait choisi de relater la vie scandaleuse du moins exemplaire des fils de George III, Ernest, duc de Cumberland qui avait eu, disait-on, des rapports incestueux avec sa sœur et avait assassiné un valet. Harold traitait ces allégations comme des faits établis. Il en était arrivé au chapitre qui voyait le début des coupables relations entre le jeune prince et la princesse Amelia.

Il ne lisait plus maintenant que des ouvrages sur les enfants de George III et les emportait même à la boutique. Le nouveau vendeur s'occupait des clients, tandis que Pup se chargeait de gérer le magasin qu'il avait ouvert à Crouch Hill. Absorbé par les tribulations de la cour anglaise au XVIIIe siècle, Harold était devenu encore plus taciturne. Certains attribuaient sa morosité à la disparition de Myra et disaient que ce pauvre Harold commençait à déprimer.

Il n'avait fait part de ses projets à personne. Avant d'être écrivain, quand il n'était qu'un simple lecteur, il n'avait jamais parlé des ouvrages qu'il dévorait à quiconque. Il ne s'attendait pas à ce qu'on partageât son intérêt pour la petite histoire. Lui-même ne s'intéressait pas à ce que faisaient les autres. Au cours des derniers mois, il avait à peine eu conscience de la présence de ses enfants. Il savait que Dolly était dans la maison puisque les repas étaient préparés et le ménage fait, mais il lui adressait rarement la parole. Elle avait ses amies, du moins le pensait-il.

Ses amies ? Dolly ne voyait plus miss Finlay ni Mrs Leebridge depuis que la congrégation d'Adonaï lui avait fermé ses portes. C'était aussi bien ainsi. Elle ne les avait jamais beaucoup appréciées.

– Je ne peux pas prendre la responsabilité de vous laisser venir, dit Mrs Collins, pendant que Dolly prenait les mesures de Wendy pour lui faire un pantalon. Vous pourriez avoir une autre de vos crises.

– Je n'ai pas eu de crise.

– Quoi que cela ait pu être, ma chère, vous pourriez provoquer la mort d'un médium. Mrs Fitter a mis des jours à s'en remettre. Et tout cela parce que vous avez eu le privilège d'apercevoir Mrs Yearman.

Dolly se retint de rétorquer qu'elle avait fait plus que l'apercevoir. Seul Pup devait savoir que le claquement des hauts talons de Myra l'avait suivie jusqu'à sa porte. Seul Pup devait savoir qu'elle entendait maintenant la voix de Myra, comme celle d'Edith. Une ou deux fois, à sa profonde horreur, elle avait senti la main de Myra soulever sa mèche de cheveux pour passer un doigt sur le nævus.

Lorsqu'elle lui parla de ces intrusions du monde invisible dans sa vie, Pup proposa aussitôt d'effectuer un rituel spécial. Ces phénomènes étaient courants, lui dit-il d'un ton rassurant, surtout lorsqu'on pratiquait la magie. Il savait comment mettre une barrière entre elle et les esprits. Dolly devait simplement avoir foi en la puissance protectrice de son incantation. Ensuite, tout irait bien.

Dolly suivit son frère dans le temple. Elle le regarda tracer des figures dans l'air avec des bâtons d'encens et psalmodier avec vigueur la formule requise. Comme Pup l'avait promis, Myra s'en alla.

Mais elle revint et Edith avec elle. Dolly savait qu'elle aurait dû demander à Pup de recommencer le rituel ou au moins essayer elle-même. Elle tenta de réciter les paroles magiques et d'exécuter les signes avec le bâton d'encens. Mais elle avait à peine terminé qu'elle sentit que les deux spectres étaient entrés dans le temple. Le parfum de citronnelle était si fort qu'il supplantait celui de bois de santal. Elle entendit le rire léger de Myra. Edith murmura : « C'est le rôle de Pup, ma chérie, mieux vaut le laisser intervenir. »

Il ne rentrerait pas ce soir-là, ni le lendemain et le jour suivant, il partait pour le week-end suivre des cours dans le Hertfordshire afin d'apprendre le fonctionnement de l'Infra-Hyposonic XH450. Les fabricants aimaient que leurs détaillants aient une connaissance approfondie de leur équipement. Les cours avaient lieu dans une maison de campagne près de Puckeridge. A sa grande satisfaction, Pup constata que si les stagiaires de sexe masculin avaient tous passé la quarantaine, les filles, en revanche, étaient jeunes et jolies.

Il se reconnut immédiatement des affinités avec la plus attirante d'entre elles. Caroline habitait Islington, non loin de chez lui. Après la conférence du samedi sur les microprocesseurs, il la reconduisit au village pour aller dîner au *Green Man*.

– Avez-vous une petite amie, Peter ?

– Elle vient de se fiancer à un autre, répondit Pup, sans mentir.

Suzanne ayant découvert sa liaison avec Philippa avait déclaré son intention d'épouser le frère d'une des étudiantes avec qui elle habitait.

– C'est assez triste, mais c'est la vie. Je m'en remettrai.

Caroline s'installa à côté de lui dans la camionnette. Elle avait apporté une bouteille de vin.

– On a toujours de la peine, bien sûr, dit Caroline, mais le pire, c'est encore la frustration. C'est... tellement dégradant !

– Laissez-moi vous aider, dit Pup, en lui prenant le tire-bouchon des mains et en lui adressant son regard le plus innocent. Je ne saurais vous parler de frustration, car je n'ai encore jamais succombé à la tentation. C'est de là, peut-être, que vient une partie de mes difficultés avec Suzanne. Mais je ne veux pas vous ennuyer avec mes problèmes. A votre santé.

– A votre santé. Voulez-vous dire que...

Pup acquiesça :

– J'avais dans l'esprit de me réserver pour la femme de ma vie, Caroline, dit-il. C'est une sorte d'idéalisme un peu dépassé, sans doute.

– Vous êtes le garçon le plus romantique que j'aie jamais rencontré !

Quand il rentra à la maison, il apprit que l'agent immobilier avait trouvé un acheteur pour l'appartement de Mrs Brewer. Harold semblait avoir perdu tout intérêt au monde extérieur, aussi Pup prit-il l'affaire en main. Trente et une mille livres seraient versées un mois après la signature de la promesse de vente.

Caroline lui avait dit que l'ami de sa sœur était le secrétaire du directeur d'une société prenant à bail deux étages de la nouvelle tour. Cette société débutait et aurait besoin de matériel de bureau. Caroline lui en donna les coordonnées.

Avec toutes ces démarches et l'ouverture de la nouvelle boutique, Pup était très occupé. Le magasin qu'il avait repris était une ancienne boucherie et tout l'intérieur devait être transformé. Pup se sentait assez fier de l'avoir obtenu. Il pouvait se permettre de payer un loyer plus élevé que Georgiou, l'ancien locataire.

Il était temps de passer une soirée avec sa sœur. Il aurait aimé l'emmener au restaurant ou au cinéma, mais il ne pouvait associer Dolly à ces distractions. Dolly n'était pas normale. A présent, il acceptait ce fait qui n'était pas sans le préoccuper. La quantité de vin qu'elle buvait, les voix qu'elle entendait l'inquiétaient. Et son isolement n'arrangeait rien. Mais que pouvait-il faire ? Il lui était impossible de rester à la maison tous les soirs ou de mettre le vin sous clef ou même de s'adresser à une agence matrimoniale. Dolly ne se marierait jamais et il comprenait qu'il l'aurait à sa charge pour le reste de sa vie.

Ces pensées le déprimaient et quand il rentra à la maison, il se rendit compte que pour la première fois depuis des années, il regardait sa sœur sans se mentir à lui-même. Deux rides profondes creusaient son visage, entre le nez et le menton. Ses yeux vides, errants étaient affectés d'un début de strabisme. Et bien sûr, il y avait le nævus, grande tache rouge sombre sur sa joue. Il nota aussi avec quel soin elle s'était habillée, juste pour passer la soirée avec lui. Elle portait une robe neuve et arborait fièrement le talisman.

Il se mit à table et essaya de ne pas la regarder pendant qu'elle terminait une bouteille de vin et en entamait une seconde. Comme il s'y attendait, elle l'entraîna vers le temple, sitôt le repas achevé. Qu'allait-elle lui demander d'accomplir cette fois ?

– Tu devrais faire quelque chose pour papa, dit-elle, tu devrais exécuter un rituel pour son bonheur et la paix de son âme.

Tout en parlant, elle entendit Myra soupirer :

– Il n'a pris que deux livres à la bibliothèque cette semaine.

Pup fut soulagé. Jusque-là, elle n'avait pas posé la question qu'il redoutait tellement. Elle ne la poserait peut-être jamais.

On était en plein été. Par la fenêtre du temple, Pup voyait la vieille voie de chemin de fer s'étendre comme un morceau de campagne verdoyante sous les rayons obliques du soleil. Les buddleias faisaient des taches rouges dans l'herbe, les feuilles de peupliers tremblaient dans la brise et laissaient voir leur dos argenté. Pup ferma la fenêtre et saisit sa robe, mais l'encolure se prit dans le crochet et se déchira.

– Ce n'est rien, dit Dolly. C'est seulement la couture. Je la recoudrai demain.

– Merci, ma chérie.

Le long rite fastidieux commença, pour le grand bonheur de Dolly. Elle avait oublié d'apporter le reste de son vin et en brandissant la baguette, Pup se dit qu'il tenait peut-être là le moyen de la désintoxiquer. Lorsqu'enfin il put reposer les attributs élémentaires sur l'autel, il laissa échapper un soupir de soulagement. Il les avait abandonnés depuis si longtemps que l'effort était devenu presque insurmontable. Brusquement, il lui sembla que la robe avait raccourci.

Pendant que Dolly descendait préparer un chocolat chaud, il se glissa dans sa chambre. A demi effacée, on voyait la marque qu'il avait tracée, lorsqu'il avait quinze ans. Il se colla contre le mur et fit un trait au crayon. Oui, c'était bien cela : il avait encore grandi de deux centimètres. A vingt ans, il mesurait un mètre soixante-dix... Jubilant, il courut rejoindre Dolly. Elle surveillait la casserole de lait sur le feu. Il la vit hocher la tête, le regard fixe et porter la main à son oreille pour mieux entendre.

Le lendemain, quand la sonnette retentit, Dolly pensa que c'était Wendy Collins qui venait pour son essayage. Mais un bref coup d'œil par la fenêtre la détrompa. Même si elle avait changé de voiture, Wendy n'aurait pas pu se payer une de ces luxueuses décapotables.

La sonnette retentit à nouveau. Dolly se brossa les cheveux en avant pour dissimuler sa joue. C'était la seule préparation nécessaire. Le reste de sa tenue était toujours impeccable.

La personne qui attendait sur le seuil était exactement le genre de femme que Dolly détestait le plus. Elle n'éprouvait rien de particulier contre une Eileen Ridge aux dents de cheval ou une miss Finlay desséchée, mais cette créature qui avait l'air d'appartenir à une nouvelle et merveilleuse espèce lui donnait envie de tourner les talons et d'aller s'enfermer dans le noir.

– J'espère que je ne vous dérange pas, flûta l'inconnue, comme une enfant effrayée. Je ne crois pas que nous nous soyons rencontrées. Je suis Yvonne Colefax.

Dolly ne l'aida guère.

– Oui ? Est-ce au sujet de Myra ?

Elle avait remarqué que la visiteuse tenait un assez volumineux paquet sous le bras.

– Eh bien ! Non, je... J'ai entendu parler de vous par la pauvre Myra, mais en fait, je cherche une couturière.

Dolly avait perdu une partie de sa clientèle, depuis qu'elle avait cessé de fréquenter la congrégation d'Adonaï et elle ne pouvait se permettre de refuser du travail malgré l'antipathie que lui inspirait cette femme.

– Vous feriez mieux d'entrer.

Yvonne avait été médusée en voyant Dolly. Pareilles choses la bouleversaient toujours. Son père, qui avait été marié à deux ravissantes têtes de linotte, lui avait enseigné que la laideur était quelque chose de malsain. Surtout chez une femme. C'est pourquoi

Yvonne fut envahie d'un sentiment où la pitié le disputait au dégoût. Il devait être terrible de traverser la vie avec une infirmité pareille ! L'espace d'un instant, ses propres difficultés lui parurent singulièrement dérisoires, mais juste l'espace d'un instant. Elle posa son paquet sur une chaise et regarda autour d'elle cette pièce où elle était déjà entrée une fois.

Dolly évalua d'un coup d'œil les vêtements que portait la jeune femme. Elle était elle-même vêtue aujourd'hui d'une jolie petite robe de lin bleu ornée d'une broderie sur le col et les poches, mais, à côté d'Yvonne, elle paraissait pitoyable. Cela n'avait rien à voir avec le nævus, cette marque infamante. La plupart des femmes devaient être éclipsées de la sorte par l'élégance éthérée d'Yvonne. Elle avait la grâce d'une porcelaine chinoise dans sa robe de soie bronze. On aurait dit une nymphe, une fée sortie tout droit d'un livre d'enfant.

Elles se regardèrent avec embarras. Yvonne fut la première à détourner les yeux. Elle expliqua tout à trac que Myra avait dit que la fille d'Harold était couturière, qu'elle avait justement un coupon de soie qu'une amie lui avait rapporté de Hong Kong et que passant précisément devant la maison... Le regard de Dolly fut attiré par le gros diamant qui ornait la main fine d'Yvonne. Elle n'avait aucune illusion sur son travail. Elle n'était qu'une petite couturière très ordinaire. Se montrerait-elle assez habile pour une femme qui portait des robes de chez Cacharel ?

Yvonne avait ouvert le paquet et déplia un coupon de soie vert vif.

– Cette couleur est très difficile à porter, mais vous pouvez vous le permettre, reconnut Dolly, à contrecœur.

Cependant son antipathie commençait à s'atténuer. Yvonne était si différente, si loin d'elle qu'elle ne pouvait en être jalouse.

– Eh bien ! Peut-être, dit Yvonne, avec sérieux.

Elle se mit à discourir sur les couleurs, les textures, les accessoires que l'on devait porter en fonction du type de toilette choisi. Dolly approuva. Yvonne avait beaucoup de goût. Jusqu'ici, ses clientes n'avaient jamais pris grand intérêt aux vêtements qu'elles lui demandaient de confectionner. Elles désiraient seulement porter des robes fonctionnelles, confortables et ne se souciaient guère d'élégance.

– Il me faudra un patron. Ceux de Vogue sont les meilleurs.

Dolly ouvrit un tiroir de sa commode, bien qu'elle eût peu d'espoir de trouver un modèle à la taille d'Yvonne qui faisait un petit trente-huit, peut-être même un trente-six.

– Ne pourriez-vous le dessiner vous-même ? Oh ! qu'est-ce que cela ?

Dolly se retourna et vit Yvonne tenir la robe dorée de Pup qu'elle avait posée sur une chaise.

– C'est à mon frère. Il est...

Elle hésita, sachant que ce pouvait paraître étrange pour quelqu'un de non initié.

– Il est magicien. Géomancien.

Yvonne ne parut ni amusée ni soupçonneuse. Pas même surprise.

– J'ai rencontré votre frère. Ici et aux funérailles de la pauvre Myra. Il m'a dit... mon passé. Et il avait raison jusqu'aux moindres détails. J'ai été sidérée.

– C'est un génie, répondit Dolly, en toute simplicité.

Un silence tomba. Dolly ne comprit pas pourquoi. Elles semblaient si bien s'entendre. Elle reprit d'un air gauche :

– Je pourrais faire le patron moi-même, si vous souhaitez une robe droite, sans manches. Avec une encolure bateau, peut-être ? Mieux vaut que je prenne vos mesures.

Elle tira les rideaux. Yvonne enleva sa robe Cacharel pour révéler un corps parfait et des dessous chics. Trente-deux – vingt-trois – trente-trois. Dolly ne s'était pas encore habituée au système métrique.

Yvonne remit sa robe. Elle toucha du doigt les joues du petit Chinois qui trônait sur la cheminée, aux côtés de la danseuse de ballet, et leur sourit comme s'ils étaient de véritables enfants. Il n'y avait rien d'affecté chez elle. Myra avait dit qu'elle avait eu deux maris. Elle devait avoir vingt-sept ou vingt-huit ans. Elle effleura de nouveau la robe de Pup.

– Comme un magicien, dit-elle. Le merveilleux magicien d'Oz. Quand devrai-je venir pour l'essayage ?

Elles étaient retournées dans le hall.

– Nous sommes jeudi. Disons, lundi après-midi.

Dolly hésita. Ce qu'elle avait envie de faire lui semblait téméraire, mais elle sentait, tout à coup, que si elle laissait Yvonne partir sans agir, elle en aurait tous les regrets du monde.

– Avez-vous une minute ? J'aimerais vous montrer quelque chose.

– Quoi donc ?

– C'est à propos de mon frère.

Elle la conduisit en haut.

– Pauvre Myra ! soupira Yvonne en arrivant au premier étage.

Dolly entendit Myra marmonner derrière la porte fermée de sa chambre, mais elle pensa qu'il était inutile d'en parler à Yvonne. Myra ne se manifestait à personne d'autre qu'à elle-même. Dolly ouvrit la porte du temple et eut la satisfaction de voir l'air stupéfait d'Yvonne.

– Qu'est-ce que c'est ?

– Le temple. L'endroit où il pratique la magie.

Dolly lui montra les attributs élémentaires.

– Il peut tout faire.

Yvonne avait pris le pentacle et le tenait avec précaution entre le pouce et l'index.

– Quel genre de choses peut-il faire ? balbutia-t-elle.

Dolly fut sur le point de lui raconter comment il les avait débarrassés de Myra, mais un sentiment de prudence la retint. Après tout, comme Pup l'avait dit, il était illégal de tuer les gens.

– Il peut provoquer des événements. C'est une science, vous savez, ce n'est pas de la sorcellerie. On l'étudie comme la médecine.

Dans son enthousiasme, elle avait oublié de maintenir ses cheveux sur sa joue et le nævus se trouva exposé en pleine lumière. Sa voix monta d'un ton :

– Il peut accomplir des choses merveilleuses. De véritables miracles.

Les yeux d'Yvonne effleurèrent la tache rouge sombre et se détournèrent aussitôt, mais Dolly comprit.

– Il faut pouvoir lui demander ce que l'on désire. Il n'est pas Dieu.

Yvonne acquiesça.

– Lorsqu'il m'a parlé de mon passé, il m'a tout dit, dans les moindres détails.

– La nuit dernière il a exécuté un rituel particulier, afin que la vie de notre père prenne une meilleure orientation.

– Oh ! oui, le pauvre homme. Pauvre Myra !

– Je suis certaine que tout va s'arranger pour lui très bientôt.

Elles redescendirent et Dolly ouvrit la porte d'entrée. Il lui sembla alors qu'Yvonne mettait quelque réticence à la quitter, comme si elle avait encore voulu lui confier un secret ou lui demander conseil. Mais Dolly qui n'était pas habituée à de longs contacts avec des étrangers commençait à se sentir fatiguée. Yvonne s'attarda sur le perron.

– Vous avez bien dit lundi ?

– Vers 2 heures, si vous voulez. Au revoir.

Dès que la porte fut refermée, elle regretta d'avoir poussé Yvonne à partir. Les hauts talons de Myra résonnèrent dans le hall. Dolly tenta de l'ignorer, mais Myra la suivit.

– Les Colefax possèdent une grande maison, lui dit-elle. Le père de George était un spécialiste bien connu. Il a tout laissé à son fils.

Dolly haussa les épaules et retourna au salon. Edith l'y attendait déjà. Le parfum d'Yvonne fut éclipsé par une forte odeur de citronnelle.

– Tu devras épingler cette soie sur un morceau de flanelle avait de la couper, dit Edith.

Myra eut un de ses petits rires.

– Très franchement, je trouve curieux qu'elle soit venue ici voir Doreen. Avec l'argent qu'elle a, elle peut s'offrir les plus grands couturiers.

Dolly s'installa près de la fenêtre pour recoudre l'encolure de la robe dorée. Pendant longtemps, elle les entendit chuchoter et rire dans son dos.

XVI

Un gros camion s'était arrêté devant l'ancien domicile de Mrs Brewer. Assise à sa fenêtre, Dolly observait les allées et venues des déménageurs. Il pleuvait et avant de sortir les meubles, ils les couvraient d'une bâche. La nouvelle voisine, une femme d'une quarantaine d'années mal fagotée, les regardait d'un air désemparé. Mrs Buxton sortit sous un parapluie avec une tasse de thé et une assiette de biscuits qu'elle lui apporta sur un petit plateau.

En se garant le long du trottoir, la Porsche éclaboussa les jambes grasses de Mrs Buxton. Celle-ci fit une réflexion. Dolly ne l'entendit pas mais pensa que ce devait être une grossièreté, car lorsque Yvonne descendit de voiture, elle semblait nerveuse, presque angoissée, bien que Mrs Buxton fût rentrée chez elle.

Yvonne ne fit aucune allusion à l'incident. Elle portait un imperméable de soie noire aussi élégant qu'une robe de cocktail. Quelques gouttes de pluie s'accrochaient à ses jolis cheveux blonds. Elle entra dans la maison en courant.

– Quel temps ! Je déteste la pluie en été. Pas vous ? Oh ! Vous avez presque fini ! Je suis sûre que ce sera adorable !

– Donnez-moi votre manteau, je vais le suspendre à un cintre.

Yvonne paraissait très agitée aujourd'hui. Elle ôta

son imperméable d'une main fébrile, puis arracha de la même manière sa robe rouge et noire. Dolly tira les rideaux, juste à temps pour empêcher les déménageurs de l'apercevoir en soutien-gorge et slip rose orchidée.

Le vert cru lui convenait. Son cou blanc sortait de l'encolure comme une fleur de lys. Elle se regarda dans le miroir à pied d'Edith.

– Nous pouvons ouvrir les rideaux, maintenant, dit Dolly.

– Non !

– Alors, je peux allumer l'électricité.

– C'est inutile. Il fait assez clair.

Debout devant le miroir, elle ne bougeait plus. Quelque chose en Dolly – ou peut-être une de ses voix – la prévint d'un ennui imminent. Yvonne restait silencieuse. Son regard fixe lui fit penser à Mrs Fitter quand elle était en transe.

– Je ne veux pas de lumière, dit-elle, de sa voix enfantine. C'est plus facile, quand il fait un peu noir. (Elle se retourna lentement.) Puis-je retirer cette robe ?

– Laissez-moi vous aider. Attention aux épingles. Elle vous plaît, n'est-ce pas ?

– Oui, oui, bien sûr.

Elle se rhabilla.

– Je préfère que vous ne tiriez pas encore les rideaux. C'est moins embarrassant ainsi. J'espère que je ne vous ennuie pas ?

A nouveau, Dolly sentit une menace. Son appréhension devint de la peur. Elle haussa les épaules et posa la robe verte.

– J'ai beaucoup pensé à ce que vous m'avez dit à propos de votre frère, lâcha enfin Yvonne. Vous avez affirmé qu'il possédait des pouvoirs, que c'était une science, sans rapport avec les pratiques des voyants extralucides ou des guérisseurs.

Dolly éprouva un énorme soulagement. Qu'avait-elle redouté ? Qu'Yvonne, comme Myra, lui parle de son nævus ? Mais c'était de Pup qu'elle voulait parler. Dolly adorait cela. Elle ne s'en lassait jamais.

– Voyez-vous, j'ai tout essayé. Je suis même allée voir une cartomancienne. J'ai consulté mon médecin et un psychiatre. J'ai vu mon notaire et ils n'ont rien fait pour m'aider. Rien du tout. Ils ne *comprennent pas*. Une nuit, j'ai téléphoné à S.O.S. Amitié, tellement j'étais désespérée. Puis-je vous appeler Doreen ?

Dolly secoua la tête. À son propre étonnement, elle s'entendit répondre :

– Je préférerais que vous disiez Dolly.

– Très bien, Dolly. Voyez-vous, vous êtes ma dernière chance, ou du moins, votre frère est ma dernière chance. Je le trouve absolument stupéfiant. Toute ma vie je me souviendrai de la façon dont il m'a raconté mon passé. C'était merveilleux. Vous me permettez de vous parler ainsi, n'est-ce pas ?

Jamais personne ne s'était confié à Dolly. L'expérience était nouvelle. Ce que Pup racontait de ses réunions à l'Aurore ne comptait pas. N'ayant pas d'amie, jamais on n'était venu la trouver pour la mettre dans le secret d'une liaison tumultueuse ou d'une peine de cœur. Son frère – elle s'en rendit compte avec un choc – ne s'ouvrait guère à elle. Ne sachant que répondre, elle se contenta de hocher la tête, le visage impassible.

– Eh bien ! Voilà, dit Yvonne. C'est George. Mon mari. Il est amoureux de quelqu'un et je ne sais plus quoi faire.

C'était déconcertant. Qu'une femme aussi belle qu'Yvonne eût ce genre de problème dépassait l'entendement. Cependant, Dolly comprit qu'elle devait dire quelque chose.

– Ce doit être une femme extraordinaire, si elle est encore plus jolie que vous.

Sa voix trembla et elle sentit son visage s'empourprer. Que c'était difficile de parler de cette façon ! Yvonne tendit la main et la posa sur la sienne.

– Vous êtes gentille. Vous êtes bonne.

Elle s'interrompit et jeta un regard de côté à Dolly.

– Il ne s'agit pas d'une femme.

– Mais vous avez dit...

– Il est amoureux de... d'un très joli garçon.

Et avec un petit sanglot, Yvonne fondit en larmes.

Dolly eut un rire nerveux. Yvonne se sécha les yeux et répéta ce qu'elle venait de dire. Dolly resta muette. Il faisait sombre dans la pièce maintenant. L'atmosphère était devenue lourde et tendue. Yvonne tourna son visage baigné de pleurs vers Dolly et s'essuya délicatement les yeux avec un fin mouchoir bordé de dentelle.

– Je ne sais que dire, risqua gauchement Dolly.

Sa seule source d'informations en la matière était le courrier du cœur des magazines qu'elle lisait.

– Après tout, il ne peut divorcer pour épouser ce... cette personne, dit-elle.

– Détrompez-vous ! De tels mariages existent. S'il parvient à trouver un pasteur pour bénir une telle union, il épousera Ashley Clare.

– Ces mariages ne sont pas reconnus, dit Dolly.

Elle se rappelait vaguement avoir lu quelque chose à ce sujet. Yvonne la regardait avec espoir. De toute évidence, elle attendait beaucoup d'elle et soudain, Dolly se sentit heureuse d'être sollicitée de la sorte. C'était si nouveau ! Il fallait qu'elle se montre à la hauteur. Mais que faire ?

– Voulez-vous boire quelque chose ? demanda-t-elle.

– Du thé ?

Dolly secoua la tête. Dans le grand réfrigérateur de

Myra, elle stockait quantité de bouteilles dont quelques-unes de mousseux.

– Quelle bonne idée ! Que vous êtes gentille ! C'est juste ce dont j'avais besoin.

Yvonne battit des mains en voyant Dolly apporter le plateau.

– Saviez-vous que votre mari était... ainsi, quand vous l'avez épousé ?

– J'aurais dû m'en douter. Il avait trente-cinq ans et ne s'était encore jamais marié, ce qui est mauvais signe. De plus, il se montrait si vieux jeu et galant envers moi... Les vrais hommes ne sont pas aussi respectueux.

Dolly ne connaissait pas grand-chose au comportement des vrais hommes. Elle remplit à nouveau leurs verres.

– Je venais de perdre mon premier mari. Il est mort d'une leucémie alors qu'il n'avait que vingt-deux ans. J'ai vraiment eu une triste vie, n'est-ce pas ?

Dolly hocha la tête avec sympathie, bien qu'à ses yeux ce fût là une vie merveilleuse.

– Je n'avais que vingt et un ans. Nous étions des enfants quand nous nous sommes mariés. Lorsque j'ai rencontré George, il s'est montré très bon. Il disait qu'il allait s'occuper de moi. Et vous savez, Dolly, je ne possédais aucune fortune alors que George avait une large clientèle, en dehors de ce que son père lui avait laissé. Il m'a offert une voiture en cadeau de mariage.

Le regard de Dolly se porta machinalement vers la fenêtre et Yvonne dit aussitôt :

– Oh ! pas celle-là ! J'en ai eu deux autres depuis.

– Il vous a épousée pour essayer de se guérir, dit Dolly, en citant sagement ses auteurs.

– J'ai toujours senti que quelque chose n'allait

pas. Voyez-vous, j'avais eu des relations très passionnées avec mon premier mari.

Dolly ne désirait pas la voir s'étendre sur ce sujet.

– Parlez-moi de cet Ashley.

– Je ne l'ai jamais vu et ne sais de lui que ce que George m'en a dit. Il l'a rencontré dans un club appelé *le Ganymède.*

Les yeux d'Yvonne se remplirent de larmes. La voix entrecoupée de sanglots, elle continua :

– Il est amoureux fou et parle de me quitter. Il veut vendre la maison pour aller s'installer avec Ashley.

– Ne pleurez pas, dit Dolly, en posant sa main sur son bras.

Yvonne s'accrocha à elle. Dans son besoin d'être consolée, elle se serait jetée dans ses bras. Le nævus la retint. Elle se contenta de lui prendre la main.

– Aussi, voyez-vous, votre frère étant si clairvoyant, j'ai pensé...

– Qu'il pourrait faire quelque chose pour vous.

– Qu'il pourrait faire cesser leurs relations.

– Désirez-vous vraiment garder un tel mari ?

– Je veux conserver ma maison. Je veux rester Mrs George Colefax. Je ne veux pas divorcer et être abandonnée pour... pour un joli garçon. Votre frère peut mettre un terme à cette histoire. Il est si fort ! Qu'il fixe son prix ! Je suis prête à payer tout ce qu'il faudra. Je suis si malheureuse !

– Mon frère ne voudra pas d'argent, répliqua Dolly d'un ton sec.

Elle versa le reste de la bouteille dans leurs deux verres. La pluie avait cessé. Elle entrouvrit les rideaux et un rayon de soleil apparut.

– Dites-moi, à quoi ressemble cet Ashley ? Pourriez-vous obtenir sa photographie ?

Yvonne dit qu'elle essaierait. Détendue par le mousseux, elle lui donna quelques renseignements sur Ashley Clare. Une ou deux fois, elle appela Dolly « chérie ». Ce fut un après-midi palpitant, mais en même temps un peu éprouvant et quand la Porsche se fut éloignée, Dolly dut ouvrir une bouteille de vin.

Elle était un peu ivre quand Pup rentra. Elle parvenait à garder l'équilibre, mais son élocution était difficile. Pup regarda la bouteille de mousseux vide, la bouteille de Riesling entamée et le visage congestionné de sa sœur, mais ne fit aucun commentaire. Il était trop heureux, ce soir, pour la gronder.

– Je viens de réussir un coup formidable, annonça-t-il, après l'avoir embrassée. J'ai rencontré le directeur d'une société qui s'est installée dans la nouvelle tour de Archway. Il a besoin d'équiper ses bureaux et j'ai emporté l'affaire. C'est un contrat énorme, Dolly ! Qu'en penses-tu ? Sers-moi donc un verre de vin. J'ai envie de fêter ça !

Dolly s'exécuta en silence. Pup desserra sa cravate et se laissa tomber sur une chaise.

– A nous ! dit-il, en levant son verre, au succès de Yearman et Hodge !

Elle le dévisagea d'un air chagrin, comme une mère dont le fils a réussi en affaires mais qui aurait préféré qu'il fût un professeur besogneux.

– J'aurais cru que tu laisserais ce genre de choses à papa.

Pup se mettait rarement en colère, mais cette fois c'en était trop. Il dut se contrôler.

– Papa n'est pas un homme d'affaires et je crois réussir mieux que lui.

– Je pensais que tu avais des dons pour... tout autre chose.

Il était préférable d'ignorer ce genre de réflexion.

– Allons, dit-il, fais-moi plaisir et célébrons mon succès. Je t'invite à dîner.

Elle secoua la tête :

– Je suis fatiguée et tu sais que je n'aime pas dîner dehors.

Evidemment ! A quoi s'attendait-il donc ?

– De plus, tout est prêt.

Harold était déjà à table, *les Filles de George III* calées entre son assiette et un pot de lait.

– Bonsoir, papa, dit Pup. As-tu passé une bonne journée ?

– Je ne saurais le dire. En tout cas, je suis exténué.

Et pour une fois, c'était vrai. Cet après-midi, à 5 heures, assis dans l'arrière-boutique devant la nouvelle Olympia ES 100, il avait fini de dactylographier son roman. Dolly leur servit le thé. Elle sentit qu'il serait inopportun de parler ce soir des ennuis d'Yvonne Colefax à Pup. Mieux valait attendre un jour ou deux. Elle avait trop bu pour avoir faim, mais elle prit une tranche de pain de mie qu'elle beurra. Il était rare que Pup passât deux soirées successives à la maison. Elle frémit en songeant à ce que cela pouvait signifier : peut-être se lassait-il de l'Ordre hermétique de l'Aurore.

Diarmit ne comprit jamais pourquoi Georgiou perdit sa boutique. Non que le Grec, en dépit de son caractère taciturne, n'en ait parlé maintes fois devant lui et n'ait vilipendé les propriétaires et les lois iniques du Royaume-Uni.

– Cette société qui s'occupe de machines à écrire veut ma boutique, déclara Georgiou. Oh ! Personne ne le dit carrément, mais je le sais. Machines à écrire et à photocopier, c'est ce que les gens veulent aujourd'hui. La bonne cuisine, ils s'en moquent.

Diarmit eut un sourire gêné.

– Alors, puisque c'est ainsi, je prends ma retraite. Qu'ils payent le loyer, s'ils en ont les moyens !

Une fois de plus, Diarmit se retrouvait au chômage. Il avait honte. Si jamais les autres locataires s'en rendaient compte, ils penseraient qu'il ne valait pas mieux que Conal. C'est pourquoi il restait enfermé de longues heures dans sa chambre. Le fait que les affaires de Conal fussent là commença à l'agacer. Il prit les vêtements, mit les couteaux dans le sac de chez Harrods et entassa le tout au milieu de la pièce. Chaque fois qu'il circulait, il butait dessus ou devait en faire le tour, mais il avait l'impression d'avoir accompli un geste important.

Puis il s'avisa que ces affaires revenaient de droit à la sœur de Conal, Kathleen. Il en fit un paquet qu'il enveloppa dans un journal et ferma avec du papier collant. Le lendemain, par une chaude journée d'août, il se rendit à Kilburn en train.

Un homme lui ouvrit la porte. Il déclara qu'il était le mari de Kathleen et que celle-ci était à son travail.

– Elle a de la chance, dit Diarmit. Je voudrais bien travailler, moi aussi.

Il avait déjà entendu la voix de cet homme, il s'en souvenait maintenant, quand il avait téléphoné de la part de Conal.

– Voici les affaires de son frère Conal que je vous ai apportées. Il vaut mieux que vous les gardiez jusqu'à son retour.

L'homme parut surpris.

– Elle n'a pas de frère appelé Conal.

Il fallait s'y attendre ! Ils voulaient le renier complètement. Diarmit ne pouvait les blâmer, néanmoins, il insista.

– Il s'appelle Moore. C'est le nom de jeune fille de votre femme.

– Ma femme s'appelait Bawne.

Diarmit se mit à rire. Il ne pouvait s'en empêcher. Le toupet de ces gens ! Nier leurs responsabilités jusqu'à prétendre qu'ils étaient des membres de sa propre famille ! Bawne, en vérité ! Il essaya de lui fourrer le paquet dans les bras, mais avant qu'il ait pu le faire, la porte lui claqua au nez.

Pourquoi avait-il refusé d'admettre que Conal était son beau-frère ? Que lui et sa femme ne veuillent pas le fréquenter, il le comprenait, mais pourquoi nier leur parenté et refuser de se charger du paquet ? Ce devait être parce qu'ils avaient appris que Conal allait revenir. Ils avaient peur.

Il allait revenir... Il y avait un an maintenant qu'il avait coupé la tête de cette jeune fille. Il revenait, parce que l'histoire était oubliée et qu'il se sentait en sécurité.

Diarmit gravit l'escalier jusqu'à sa chambre en courant. Il défit le paquet et sortit les vêtements rouges qu'il posa soigneusement au pied du lit. Les couteaux et le hachoir étaient propres, mais il les rinça sous le robinet de l'évier et les essuya avant de les replacer dans le sac. Conal allait revenir. Il pouvait arriver d'un moment à l'autre.

La lettre était adressée à miss Doreen Yearman. Elle commençait par « Chère Dolly » et se terminait par « Affectueusement » Yvonne.

Dans l'enveloppe, Yvonne avait joint la photographie de deux hommes assis sur un divan. Elle avait été prise au flash et tous deux avaient le regard fixe et le visage dénué de toute expression. George Colefax fumait le cigare, mais l'autre homme avait les mains croisées sur les genoux, comme une jeune fille. Joli garçon, peut-être, ou du moins l'avait-il été naguère. Ses cheveux noirs rejetés en arrière, à la Byron, grisonnaient sur les tempes et bien que le flash effaçât les rides du front et les pattes d'oie, on sentait qu'elles étaient là.

Dolly mit la photographie et la lettre dans son sac. Un vague sentiment de pudeur l'empêcha de la ressortir pour relire les mots « Chère Dolly » et « Affectueusement ». Elle devait aller faire des courses à Holloway Road et décida de longer la vieille voie de chemin de fer sur une partie du chemin. La journée s'annonçait chaude et lourde. Sous ses pieds, l'herbe drue était semée de pâquerettes. Malgré le bruit de la circulation, on entendait le bourdonnement des insectes.

Lorsqu'elle pénétra dans la relative fraîcheur du tunnel, Dolly s'avisa que le coupeur de tête avait commis son crime abominable un an plus tôt. C'était un mercredi, la veille du jour où Myra avait donné cette réception au cours de laquelle Pup avait fait un récit si troublant à Yvonne. Elle-même était allée pour la première fois à une séance de l'église d'Adonaï. C'est pourquoi elle se souvenait des dates. Mercredi douze août. Jeudi treize août. Aujourd'hui, on était le mercredi onze août. Une année avait passé. Exactement une année aujourd'hui.

Dolly hâta le pas et éprouva un certain soulagement à retrouver, de l'autre côté, la lumière. Un papillon noir et rouge zigzagua sous ses yeux et se posa sur un buisson. Elle longea le quai de l'ancienne gare. Venant au-devant d'elle, elle aperçut une femme qui promenait un chien des Pyrénées.

XVII

Sur la photographie, Ashley Clare avait le teint olivâtre, aussi Dolly employa-t-elle une toile écrue pour confectionner le corps de la poupée. Elle broda le visage en accentuant les sourcils, les yeux en amande et les lèvres sensuelles. Pour les cheveux, elle utilisa de la soie noire et non de la laine, ajoutant quelques brins de gris sur les tempes. Puis elle s'attaqua aux vêtements. Sur la photographie, il portait un pantalon en velours, une chemisette et un blouson noir, mais Dolly désirait l'habiller de façon plus conventionnelle, comme il devait l'être quand il travaillait. Elle coupa le costume dans un tissu en polyester qui restait du pantalon de Wendy Collins, une chemise dans un mouchoir d'Edith et une cravate rouge provenant de la doublure de son propre tailleur. Enfin, elle peignit les chaussures en carton avec de la laque de Chine noire. Terminée, cette poupée était la plus réussie qu'elle ait fabriquée.

Myra elle-même la félicita. Myra et Edith étaient restées près d'elle toute la journée à la regarder travailler.

– Je dois dire, Doreen, que la ressemblance est parfaite. Je l'ai vu une fois, quand il est venu au cabinet et vous l'avez réussi.

– Tu as fait du joli travail, ma chérie, mais ne louche-t-il pas un peu ?

Il était rare qu'elles se parlent, mais cela arrivait parfois.

– Très franchement, Edith, je crois que vous avez raison, il louche vraiment !

Dolly posa Ashley sur la cheminée, entre le Chinois et la danseuse de ballet. La confection de la poupée lui avait pris beaucoup de temps et elle n'avait pas commencé la robe de soie verte. Elle travaillait à l'encolure, lorsqu'on sonna à la porte. Elle courut répondre, persuadée que c'était Yvonne qui passait lui faire une visite impromptue. La petite voisine se tenait sur le seuil. Elle expliqua que Mrs Buxton avait dit à sa mère que Dolly était couturière et elle venait lui demander de raccourcir son jean de cinq ou six centimètres. Apercevant la poupée, elle déclara avec un petit rire qu'elle ressemblait à Robert De Niro. Dolly prit le pantalon et dit qu'il lui en coûterait quatre livres. Elle se rendit compte que l'adolescente s'efforçait de ne pas regarder sa joue.

Depuis la lettre – lue et relue tant de fois, surtout le début et la fin – elle n'avait eu aucune nouvelle d'Yvonne. Jusque-là, Dolly n'avait jamais su ce que c'était que de rester assise près du téléphone en attendant qu'il sonne. Elle faufila l'ourlet de la robe et commença à le coudre à points coulés.

– Lorsque cette robe sera terminée, vous ne la reverrez plus, dit Myra. Vous le savez parfaitement, n'est-ce pas, Doreen ? Elle ne se souciera plus de vous. Son père exerçait une profession libérale, son mari aussi. Vous n'appartenez pas au même milieu. Pourquoi voudrait-elle vous fréquenter ?

Pup devait venir dîner. Il se demandait – cette question le préoccupait beaucoup depuis quelque temps – comment il pourrait inciter son père à prendre sa retraite. Harold n'avait jamais été très utile à la boutique, mais dernièrement il était devenu gênant. Toujours dans la lune, il donnait aux clients des réponses vagues, incompréhensibles, comme si l'on s'était adressé à lui dans une langue étrangère.

Cependant, Pup avait horreur de heurter les sentiments d'autrui. Il ne pouvait laisser entendre à Harold que sa présence était préjudiciable à la bonne marche de l'entreprise. Il devait au contraire l'amener à se retirer de son plein gré.

La première chose qu'il vit en entrant fut la poupée. Il poussa un soupir consterné. Dolly aurait quand même dû se rendre compte qu'elle avait passé l'âge. Et ce soir, elle buvait du chianti. La bouteille était déjà aux trois quarts vide.

Quand ils revinrent au salon, Dolly décrocha le téléphone et composa un numéro. Si c'était George Colefax qui répondait, elle raccrocherait. La voix enfantine d'Yvonne retentit :

– Ici, le domicile du Dr Colefax.

– C'est Dolly. Votre robe est terminée.

– Oh ! Dolly. Avez-vous reçu ma lettre ? J'attendais que vous m'appeliez.

Ainsi, c'était sa faute et non celle d'Yvonne si elles n'avaient pas repris contact. Elle poussa un petit soupir de soulagement qui fit lever la tête à Pup, penché sur un journal.

– Voulez-vous venir... demain, par exemple ?

Mais Yvonne proposa que Dolly vienne à son tour. Elle serait heureuse de lui rendre son hospitalité. Disons lundi ou mardi ? Elle ne songeait pas, pensa Dolly avec amertume, combien il était fastidieux d'aller d'une banlieue à une autre en utilisant les transports en commun. Mais elle était trop flattée par l'invitation pour refuser.

– Je passerai te chercher en rentrant à la maison, si tu veux, dit Pup.

Elle avait, enfin, une amie jeune et convenable. Il en était soulagé. Il se souvenait d'Yvonne Colefax, de son parfum, de sa jambe contre la sienne. Il détourna les yeux de la poupée au teint olivâtre et aux lèvres rouges.

– Demande-lui à quelle heure.

Aussi heureuse maintenant qu'elle avait été tendue plus tôt, Dolly vint s'asseoir sur le divan, près de lui et parla des relations de Ashley Clare avec George Colefax.

– Et il veut abandonner cette charmante Yvonne ?

– Nous devons faire quelque chose.

– Je ne vois pas quoi, dit Pup, en se replongeant dans son journal.

Lorsqu'il était arrivé à Londres, Conal avait dû s'occuper de lui. Non qu'il y ait très bien réussi. S'il lui avait fourni un toit, le travail promis ne s'était jamais présenté et de toute évidence, Conal ne l'avait fait venir que pour déverser sur lui ses craintes et ses terreurs. Il aurait même pu être soupçonné de meurtre, car Conal n'avait eu aucun scrupule à rapporter ici ses vêtements et ses couteaux tachés de sang. Mais cette fois, quand Conal reviendrait et qu'ils seraient à nouveau ensemble, Diarmit savait que ce serait son tour de s'occuper de lui. Cette perspective le remplissait d'anxiété.

Les couteaux et les vêtements étaient toujours entassés au milieu de la pièce. Diarmit les maudissait, car chaque fois qu'il allait de son lit à l'évier ou du buffet à la fenêtre, il devait les enjamber. A plusieurs reprises, il s'était étalé dessus.

Vêtu d'un jean, d'une chemise grise et d'un sweater, il se présenta à l'Agence pour l'emploi, mais il n'y avait rien pour lui. Il redoutait d'avoir à avouer au criminel sans foi ni loi qu'était Conal qu'il se trouvait au chômage.

Le dalmatien et le colley jouaient sur la pelouse. Ils avaient renversé une poubelle et en dispersaient les papiers. Des personnes âgées étaient maintenant installées dans le nouvel immeuble. Les ouvriers étaient partis depuis longtemps. Conal en serait contrarié, pensa Diarmit. Il se demanderait où ils étaient passés et s'attendrait à les voir revenir pour démolir la maison. Il aurait peur d'y rester pendant la journée et tout recommencerait.

Assis à la fenêtre, il surveillait la rue qui remontait vers la gare de Crouch Hill. Conal arriverait par là. Diarmit se dit que pour l'éviter, il ne lui restait qu'à fuir, à retourner à Liverpool. Mais il n'avait pas de famille à Liverpool. Seuls les parents de Conal vivaient là-bas. Il pouvait aussi se réfugier sous le tunnel en emportant des provisions. Mais ce ne serait pas agréable quand le beau temps cesserait et que l'automne arriverait. Diarmit frissonna en se résignant à son attente solitaire.

Lorsque Conal vint, Diarmit ne le vit pas arriver. Il devait s'être glissé dans la chambre durant la nuit. Quand Diarmit se réveilla, il était là, vêtu des vêtements rouges. Il sortait les couteaux du sac de chez Harrods et les examinait, pour s'assurer que Diarmit en avait pris soin en son absence. Conal l'assassin, Conal le criminel, Conal le hors-la-loi, sans travail, sans ami. Conal le fou.

Parce qu'il savait ce qui se passerait s'il quittait la maison, parce qu'il n'osait pas sortir et devait quand même prendre de l'exercice, il se mit à arpenter la pièce de long en large. Il marchait de son pas lourd, sans trêve ni répit. Au bout d'un moment, il se sentit fatigué, mais continua néanmoins son inlassable va-et-vient.

Il ne parlait pas. Il n'avait personne à qui parler, car Diarmit était parti.

Andrea travaillait au salon de coiffure *Unisex* de Tottenham Road. Le lundi, le magasin fermait à l'heure du déjeuner et Pup était son dernier client. Il avait les plus beaux cheveux dont elle se fut occupée ce matin-là, blonds, ondulés, souples comme ceux d'une fille.

– Vous pouvez faire ce que vous voulez avec vos cheveux, dit-elle.

– C'est-à-dire ? Les tricoter ? Les battre en neige ?

Elle se mit à rire.

– Je veux dire, les coiffer dans n'importe quel style.

– Alors, cessez de les couper et faites-moi des locks, comme les rastas. On a prononcé votre nom, mais je ne l'ai pas bien entendu. Anthea ?

– Andrea. Voilà, c'est terminé, je n'ai plus qu'à vous sécher.

– Attendez une minute. On ne s'entend plus avec cet engin. Ecoutez, Andrea, je ne crois pas que je survivrai à cette journée si vous ne me promettez pas de sortir avec moi, ce soir.

– Je ne connais même pas votre nom.

– Il suffit de le demander. Je m'appelle Peter. Vous aimez mes cheveux ? C'est un début. Nous pourrions aller à la discothèque de Broadway.

Pup devait d'abord prendre Dolly chez les Colefax. D'ordinaire, pour aller danser, il mettait ses jeans les plus étroits, mais en passant se changer à la maison, il décida d'impressionner Yvonne en se donnant un air de magicien. Il revêtit donc un sweat-shirt en velours noir et suspendit autour de son cou, au bout d'une longue chaîne, le talisman solaire. Il l'avait fabriqué quand il avait seize ans. C'était une tenue parfaitement appropriée pour le disco. Peut-être cette dernière pensée résumait-elle la nouvelle attitude que Pup avait prise concernant la magie.

La maison des Colefax était une hacienda blanche à toit vert dont l'architecture s'apparentait à l'Art déco, mâtinée d'influence mauresque. Dans le vaste jardin s'entrelaçaient des allées bordées de rocaille et de parterres géométriques, ponctuées çà et là de résineux. Tout au fond, à l'ombre d'un bouquet de cyprès, un petit pont chinois enjambait un bassin où nageaient des poissons rouges.

Yvonne vint au-devant de lui quand elle entendit le crissement des pneus sur le gravier. Elle portait une robe rose pâle et paraissait extraordinairement jeune et fragile.

– Je suis heureuse de vous revoir. Entrez prendre un verre. Savez-vous que je pense toujours à vous comme à un être surnaturel, une sorte de gourou ?

Pup sourit. Ils traversèrent un parquet précieux sur lequel étaient jetés des tapis persans et se rendirent sur une terrasse où Dolly était assise dans un fauteuil blanc canné. Il y avait une bouteille de vin vide sur la table et une seconde largement entamée.

Yvonne revint avec du sherry et des cacahuètes grillées. Elle prit place dans un fauteuil à bascule et sa robe se souleva un peu, découvrant des jambes légèrement hâlées.

– Je lisais un article dans un magazine, l'autre jour, sur le métapsychisme et la maîtrise des puissances inconnues latentes dans l'intelligence humaine. On affirmait qu'un jour la télépathie ou la psychocinèse seraient reconnues de la même façon que l'électricité. C'est le genre de choses dont vous vous occupez, n'est-ce pas ?

On aurait dit qu'elle récitait une leçon apprise par cœur, sans vraiment en comprendre le sens.

– Le pouvoir de votre esprit peut-il influer sur la façon de penser d'une autre personne ?

– C'est, en effet, la théorie.

Elle se détourna avec un soupir.

– Je serai seule après votre départ. Je n'ai pas vu George depuis samedi matin et je ne crois pas qu'il rentrera ce soir.

– Je peux rester passer la soirée avec vous. Mon

frère reviendra volontiers me chercher plus tard, n'est-ce pas, Pup ?

– Pup ?

– Un diminutif, dit-il, imperturbable, mais je crains que ce ne soit pas possible. J'ai un rendez-vous.

Dolly parut déçue, mais elle se tourna vers Yvonne pour dire avec fierté :

– Il se rend à sa congrégation. C'est une sorte d'ordre sacré, comme les Templiers ou les francs-maçons.

Elle aussi récitait sa leçon, pensa Pup. Il se garda bien de démentir. Ayant terminé son sherry, il se leva.

Une heure plus tard, il dansait avec Andrea sous les projecteurs vert et orange du *Damaria*.

Andrea ne lui dit rien de la petite mésaventure qui lui était arrivée dans l'après-midi. Elle ne le connaissait pas assez pour cela. Elle était rentrée chez elle dans la chambre qu'elle venait de louer à Mount Pleasant Gardens, espérant passer un après-midi tranquille à faire un peu de rangement.

Mais au-dessus de sa tête, on aurait cru entendre un roulement de tonnerre. Le bruit venait de la pièce située juste au-dessus de la sienne. Il n'y avait que deux chambres au dernier étage parce que le toit était très pentu. Andrea descendit regarder les noms sous les boutons de sonnette et lut *Diarmit Bawne* écrit d'une main malhabile.

Elle avait subi ce bruit pendant plus de deux heures. Et si cela continuait la nuit ? Elle devrait déménager, alors qu'elle venait juste de s'installer. Il fallait un certain courage pour monter, mais elle se décida à frapper timidement d'abord, puis plus fort.

Ce fut un jeune homme qui lui ouvrit. Il avait environ vingt-cinq ans et elle l'aurait décrit comme un garçon très ordinaire, ni grand, ni petit, avec des cheveux châtains, particulièrement sales, ne put-elle s'empêcher de remarquer, les traits taillés à coups de serpe et des yeux gris au regard fixe.

– Excusez-moi, pourriez-vous arrêter un peu de marcher ? Vous faites les cent pas depuis trois heures. Je n'aime pas me plaindre, mais c'est vraiment insupportable.

Elle se demanda pourquoi il la regardait de façon si étrange, sans ressentiment, mais comme s'il était surpris qu'elle existât et pût parler.

– Je veux dire, si vous avez besoin d'exercice, ne pourriez-vous sortir ou bien... quelque chose vous tracasse-t-il ?

– Je ne peux pas sortir, dit-il, avec un fort accent irlandais. Je suis allergique.

Allergique à quoi ? A l'air ? A la lumière ? Elle n'osa pas le demander. La fenêtre était fermée et la pièce avait une odeur douceâtre, un peu fétide. Les vêtements rouge sombre qu'il portait semblaient n'avoir jamais été lavés.

– Eh bien ! Si vous pouviez essayer de ne pas marcher autant, dit-elle, avec gaucherie. Ne peut-on faire quelque chose contre cette allergie ?

Il secoua la tête.

– Personne ne peut rien.

Elle fut touchée par son air misérable et désemparé.

– Vous êtes Mr Bawne, n'est-ce pas, risqua-t-elle timidement.

Il parut fâché et recula d'un pas avant de répondre.

– Non. Mon nom est Conal. Conal Moore.

XVIII

L'appartement était situé dans un bloc d'immeubles de grand standing, en haut de East Heath Road. Ashley Clare habitait au n° 24. Yvonne avait dit à Dolly qu'il travaillait dans le West End, comme décorateur, aussi Dolly savait-elle que si elle voulait le surprendre, elle devrait se trouver à Hampstead, tôt le matin.

Elle se leva donc de bonne heure. Pourtant, elle n'était pas encore décidée. Devait-elle céder à l'envie de voir Ashley Clare ou rester à la maison pour préparer le petit déjeuner de Pup ? La question fut vite résolue. La porte de la chambre de Pup était entrouverte et elle vit que le lit n'avait pas été défait. Dolly avait cessé de se tourmenter dans la crainte que Pup pût être victime d'un accident, mais cette crainte avait été remplacée par une autre.

Les talons de Myra retentirent sur le palier.

– Vous savez très bien qu'il a une petite amie, Doreen. La première est partie, mais ça ne veut pas dire qu'il n'en a pas une autre, n'est-ce pas ?

Edith chuchota à l'oreille de Dolly :

– Je ne verrais pas d'objection à ce qu'il trouve une gentille jeune fille. Il devra bien se marier, un jour ou l'autre.

– Pour être parfaitement honnête avec vous, Doreen, un joli garçon qui gagne bien sa vie ne peut pas vivre comme un moine.

Tourmentée, Dolly se retourna vers ses voix et les écarta d'un geste. Elle revêtit une robe écossaise et choisit avec soin ses sandales. Yvonne la rendait plus consciente encore de sa toilette. Elle finirait bien par devenir si élégante qu'on ne remarquerait plus son visage. A moins que ce ne soit l'inverse ? Les cheveux frisés étaient à la mode en ce moment. Supposons qu'elle se fasse faire une permanente et laisse des boucles cascader sur ses joues ? Non. Jamais Dolly n'était allée chez le coiffeur. Sa mère lui coupait les cheveux et depuis sa mort, elle les égalisait elle-même avec ses ciseaux de couturière. Elle savait qu'elle n'oserait jamais se mettre entre les mains d'un visagiste.

Elle prit l'autobus n° 210. Hampstead Heath était voilé par la première brume automnale. Dolly ne s'expliquait pas très bien pourquoi elle était venue là. Bien sûr, elle voulait avant tout voir à quoi ressemblait Ashley Clare. Elle se mit à rêver à un avenir où, George étant retourné auprès d'Yvonne, Pup et elle deviendraient leurs meilleurs amis. Ils se rendraient visite et boiraient du vin ensemble. Peut-être partiraient-ils en vacances tous les quatre ? Dolly n'était plus allée en vacances depuis son enfance où parfois la famille passait une semaine à l'île de Wight ou à Newquay. Elle apprécierait de se dépayser, si elle avait Pup et Yvonne pour lui servir d'écran sans parler de George, qui était médecin aussi bien que dentiste et qui pourrait...

A ce moment-là, la magie n'aurait plus de secrets pour Pup. Il serait un maître. Il irait encore à ses réunions – une fois par mois, par exemple – mais le reste du temps, il travaillerait à la maison, dans le temple. Ce serait plus un laboratoire qu'un lieu de prière. Il pourrait transformer les rêves en réalité. Dolly toucha sa joue à l'endroit où le vent avait écarté ses cheveux.

Elle était arrivée devant l'immeuble. Les portes en verre étaient grandes ouvertes. Deux ou trois personnes sortirent d'un pas pressé. Un homme monta dans une voiture garée là et démarra. Dolly s'inquiéta. Bien qu'il ne fût pas encore 8 heures et demie, elle avait peut-être manqué Ashley Clare. Mais, alors qu'elle commençait à se sentir embarrassée d'attendre, l'homme de la photographie sortit.

Il paraissait plus âgé. Ce n'était pas étonnant. La lumière du petit matin est moins clémente que celle d'un flash. Dans son complet bleu, il semblait aussi plus mince, mais c'était incontestablement l'homme que George Colefax avait qualifié de « joli garçon ». Dolly lui emboîta le pas. Il portait une serviette et sur son bras gauche un imperméable beige, plié. Dolly était certaine qu'il se dirigeait vers la station de métro de Hampstead et tout en marchant, elle prépara la monnaie pour prendre un ticket. Ashley Clare présenta sa carte mensuelle. Elle s'engouffra dans l'ascenseur juste à temps et attendit, non loin de lui, sur le quai. De la poche de l'imperméable, il sortit le *Times* et l'ouvrit à la page des mots croisés.

La sexualité ne jouait quasiment aucun rôle dans la vie de Dolly. Elle s'efforçait de ne jamais y songer, bien que le souvenir de ce qu'elle avait découvert entre Myra et son père lui apportât parfois un petit frisson de dégoût. Elle était persuadée que Pup ne s'intéressait pas à la question. N'avait-il pas avoué un jour qu'il était vierge et entendait le rester ? Il ne vint pas à l'esprit de Dolly que depuis, il avait peut-être changé d'avis. Jamais, pour autant qu'elle ait pu le savoir, elle n'avait rencontré d'homosexuels. Néanmoins elle se les représentait comme des créatures inondées de parfum, maniérées et rougissantes, qui vous jetaient des regards en coin et vous donnaient du « ma chère » à chaque instant. Tout en étant très beau, Ashley Clare avait l'air normal. Il ne sentait rien et quand il rencontra une connaissance sur le quai, il leva le nez de ses mots croisés en disant un laconique « bonjour ».

Le train arriva. Ashley Clare alla s'asseoir à l'avant d'un wagon pour non-fumeurs et Dolly se posta juste derrière lui. A la station suivante, les voyageurs montèrent en foule, s'entassant dans l'allée centrale et près des portes. Les épaules d'Ashley Clare dépassaient de son siège. Dolly profita du tumulte pour ramasser quelques cheveux sur le col de son veston. Si quelqu'un surprenait son manège, on penserait qu'elle était sa femme. Il ne sentit rien et ne bougea même pas les épaules. Elle récolta ainsi huit cheveux qu'elle glissa dans son porte-monnaie, entre deux billets d'une livre.

Ashley Clare descendit à Camden Town, probablement pour changer en direction de Tottenham Court. Dolly descendit également afin de reprendre le train pour Archway. C'était sur ce quai qu'elle avait failli pousser une inconnue qu'elle avait prise pour Myra.

Mais il était inutile de recourir à la violence quand on pouvait agir à distance et en douceur.

Harold était incapable de manger. Dolly lui avait pourtant préparé ce qu'il préférait. Il repoussa son assiette et regarda autour de lui avec désarroi. Il y avait vingt ans qu'il n'avait pris un repas sans lire en même temps. Quand ses enfants étaient jeunes et qu'Edith s'en occupait il avait commencé à apporter un livre à table et personne n'avait paru s'en soucier. C'était devenu une habitude. Maintenant, il ne pouvait plus lire. Ecrire avait exorcisé sa passion de la lecture et, en conséquence, il ne pouvait plus manger. Il lui semblait que pendant les mois qu'il avait passés à rédiger *Sa Grâce, ma sœur*, la bibliothèque municipale s'était enrichie d'une quantité de biographies de rois, d'archiducs et autres. Il y était retourné, une fois son manuscrit expédié, pour emprunter la *Vie de la reine Louise de Prusse*. Mais lorsqu'il avait ouvert le volumineux ouvrage, les mots s'étaient mis à danser devant ses yeux sans qu'il pût en saisir le sens. Paniqué, il avait refermé le livre.

Cela le rendait malade. Son estomac manifestait sa réprobation par un point douloureux qu'Harold confondit un moment avec les signes avant-coureurs de la crise cardiaque. Il crut qu'il allait mourir comme la mère de Myra, terrassé par une attaque. Sentant ses jours en danger, il essaya la vie de Stanislas II, la correspondance de la famille royale d'Albanie et les mémoires apocryphes de Mme de Maintenon. En vain. Comme on prétend que travailler dans une usine de chocolat vous guérit de l'envie d'en manger, le fait d'avoir écrit un roman historique lui rendait le genre odieux.

– Tu ne manges rien, papa, dit Dolly. Prends au moins une tranche de cake.

Harold secoua la tête. Il retourna au petit salon et s'assit dans le fauteuil où, entouré par les souvenirs de Myra, il avait passé tant d'heures heureuses, perdu dans les méandres de la petite histoire. Il fixait le rectangle de la fenêtre et au-delà le ciel gris. Les premières gouttes de pluie s'écrasèrent contre les vitres. Ce jour-là, avec une sollicitude suspecte, Pup s'était enquis de l'état de sa santé, suggérant, sans vraiment le dire, qu'il pourrait envisager de prendre une retraite anticipée. C'était exaspérant. Après tout, il n'avait que cinquante-cinq ans.

– Je ne vais pas me retirer pour laisser la place à un freluquet de ton espèce.

– Je te demande pardon, dit Pup, avec sa courtoisie habituelle. Tu feras ce que tu voudras. Seulement tu ne sembles pas y trouver grand plaisir.

– Le travail n'est pas un plaisir.

Pourtant, Harold songea qu'il avait pris plaisir à écrire son roman. Le plus grand plaisir qu'il ait jamais connu. Un mouvement de colère le fit s'emporter :

– Toutes ces belles idées que tu as ne vont servir qu'à ruiner l'affaire que j'ai mise sur pied. Tu prétends tout savoir et tu n'as même pas vingt et un ans.

Pup n'insista pas. Tandis que son père rentrait à la maison sans passer par la bibliothèque, il ferma la boutique et se rendit chez Andrea. De toutes ses petites amies, c'était celle qui s'occupait le plus de son intérieur et la seule qui sût cuisiner. Lorsqu'elle ouvrit la porte, elle s'avança sur le palier pour écouter. Tout semblait tranquille.

– Il m'inquiète quand il tourne comme un ours en cage.

La pièce était coquette et ordonnée. Andrea avait fait de son mieux pour transformer son petit lit en divan, à l'aide d'une couverture rayée et de coussins. Sur un réchaud, des légumes mijotaient en dégageant une odeur délicieuse.

– J'ai fait deux pâtés au poulet, un pour nous et un pour le garçon qui habite au-dessus.

– Quelle chic fille tu es !

– Le penses-tu vraiment ? Il a l'air si pathétique !

– Je vais descendre chercher une bouteille de vin.

– Inutile, il y en a une au frais dans l'évier.

Elle lui sourit, heureuse d'avoir pensé à tout, en parfaite maîtresse de maison.

– Peter ? Le garçon du dessus, quand je lui ai demandé son nom, il m'a dit qu'il s'appelait Conal Moore, mais ce n'est pas vrai. Il s'appelle Diarmit Bawne. Je l'ai demandé aux gens, en bas. Un Conal Moore a bien habité ici, mais il est parti depuis longtemps. Ne trouves-tu pas que c'est bizarre ?

– Cette maison est bizarre. Le quartier me semble

d'ailleurs plutôt mal famé. Tu ne devrais pas rester ici, Andrea.

Dolly piquait une jupe en tweed pour Yvonne. Elle savait que ce serait une jupe très simple, pour faire les courses ou pour jardiner. Si elle avait voulu un modèle plus élaboré, Yvonne se serait adressée à une boutique de prêt-à-porter de luxe. Assis sur la cheminée à côté du Chinois, Ashley Clare la regardait se servir de sa Singer. Maintenant qu'elle avait posé la fermeture à glissière et le gros-grain, elle n'avait plus qu'à attendre l'essayage. Elle ouvrit le tiroir où elle rangeait ses coupons et en sortit une figurine enveloppée dans un papier de soie.

Elle avait dû utiliser la cire de trois bougies pour la confectionner. Le résultat n'était pas fameux : la figurine ressemblait à une sorte de saucisse à forme vaguement humaine, maculée d'empreintes de doigts sales et de cheveux. L'objet avait quelque chose de déplaisant, presque d'obscène. Dolly s'en rendait compte sans pouvoir préciser en quoi. Après tout, ce n'était que de la cire et des cheveux enlevés sur le col d'un homme. Elle n'aurait pas eu besoin de la confectionner, si Pup ne s'était montré aussi difficile au sujet de la poupée. Il était resté à la maison la veille au soir et elle avait attendu le moment propice pour lui parler. Elle avait vu son visage se fermer et devenir dur.

– Je ne veux pas me rendre ridicule, Dolly.

– Tu ne t'es pas rendu ridicule quand tu as tué Myra.

– Pour la centième fois, je ne l'ai pas tuée !

– Bien sûr que si, Doreen, chuchota Myra. De l'Autre Côté, nous savons tout et je peux vous certifier qu'une bulle d'air n'aurait pu me faire mourir.

Dolly l'écarta d'un geste et poursuivit :

– Tu ne vas pas me dire que tu renonces à la magie ?

Il haussa les épaules et la regarda :

– Non, bien sûr que non, pas à la magie blanche, mais je ne veux tuer personne. Est-ce compris ?

Dolly habilla la poupée en cire d'un morceau de tweed pour le pantalon et de lin pour la chemise. Une longue soirée solitaire se présentait devant elle, sans compter la nuit et toute la journée suivante. Maintenant elle regrettait de ne pas être allée, comme tous les autres soirs quand Pup ne rentrait pas, surveiller Ashley Clare.

Elle savait à peine pourquoi elle se livrait à cette surveillance. Cherchait-elle simplement à s'occuper, à rompre sa solitude ou bien pensait-elle en tirer quelque avantage ? Depuis le matin où elle avait prélevé les cheveux, elle l'avait vu à deux reprises sortir de chez lui et se diriger vers la station de métro. Un soir, elle avait assisté à son retour à 6 heures et demie et une autre fois elle l'avait aperçu en compagnie de George Colefax, ce dernier vêtu comme sur la photographie, de sorte qu'elle n'avait eu aucun mal à le reconnaître. Elle était restée un long moment devant l'immeuble. A sa grande satisfaction, la silhouette de George Colefax s'était détachée un instant devant la fenêtre éclairée. Il n'avait pas tiré les rideaux. Avec un voyeurisme tout à fait inhabituel chez elle, Dolly avait attendu, dans l'espoir que les deux hommes s'embrasseraient derrière les vitres. Craignant de se faire remarquer, elle s'était assise sur un banc où Myra et Edith n'avaient pas tardé à la rejoindre.

– Comment une femme peut-elle être assez stupide pour épouser un homme avec de tels penchants ? demanda Myra.

– Quand j'étais jeune, soupira Edith, on ne parlait jamais de ces choses. L'expression « homo » n'avait aucun sens pour moi. Je ne sais toujours pas ce qu'ils font et ne désire pas le savoir.

– Pour être parfaitement franche, ce sont les mères qui les rendent ainsi. J'ai lu un article à ce sujet.

– Faire porter le blâme sur les pauvres parents, c'est devenu à la mode, aujourd'hui, dit Edith.

George Colefax et Ashley Clare ne s'embrassèrent pas. Ou du moins pas à leur fenêtre. Ils ressortirent à 7 heures. George vêtu de la même manière, Ashley portant un sweater marron et un pantalon pied-de-poule. Ils allaient peut-être dîner dehors. Dolly n'osa pas les suivre.

Le lendemain elle revint se poster très tôt devant l'immeuble. Pour quelle raison serait-elle restée à la maison ? Pup n'était pas là et Harold ne mangeait rien. Il faisait froid et humide. Tout paraissait sale dans la lumière blafarde du matin.

Ashley Clare ne se montra pas. Ce fut George qui sortit, vêtu très négligemment pour un chirurgien dentiste, d'une sorte d'anorak et du pantalon pied-de-poule d'Ashley. Ou peut-être était-ce son pantalon qu'Ashley avait porté la veille ? Cette constatation la mit mal à l'aise. Rien, jusque-là, ne lui avait prouvé l'intimité entre les deux hommes. C'était chose faite. Pauvre Yvonne ! Dolly savait désormais que seule la mort d'Ashley Clare pourrait lui rendre son mari.

Elle prit l'autobus 210, reconstitua sa réserve de vin et rentra chez elle par la vieille voie de chemin de fer. Les feuilles commençaient à tomber sur le sol détrempé. Elle grimpa la pente herbeuse et débusqua Gingie qui chassait des proies invisibles entre les buissons.

Sitôt arrivée, Dolly décrocha le téléphone et composa un numéro. Une voix d'homme lui répondit et elle reposa le récepteur. George rentrait parfois à la maison. Une fois par semaine peut-être, avait dit Yvonne. Dolly termina sa bouteille de Saint-Nicolas et après un moment d'hésitation, ouvrit une de celles qu'elle venait d'acheter. Puis elle alla dans le temple chercher les livres de Pup. Pour détruire Ashley Clare, elle avait décidé de demander à Pup d'invoquer un dieu. Ce genre de rituel, disaient les livres, ne devait être pratiqué que par un magicien confirmé. N'avait-il pas acquis suffisamment d'expérience maintenant ? Elle jeta son dévolu sur Anubis, le dieu à tête de chacal. Elle aurait pu choisir Enlil ou Mardouk, Magda ou Sin, Wadd, Apollon, Teteshapi ou un autre, mais son œil avait été attiré par un dessin représentant Anubis. La haute taille et la minceur du dieu lui rappelaient Ashley Clare. Quant à son museau, il ressemblait de façon frappante à celui du chien qui avait trouvé le corps de la jeune fille décapitée. De plus, Anubis était le dieu de la Mort. Les Egyptiens l'appelaient « le Seigneur de la momie ». C'était lui qui ouvrait aux morts la route de l'Autre Côté.

Dolly emporta les livres et le reste du vin dans son lit. Un peu ivre, maintenant, elle regarda l'image d'Anubis, effrayée par ce qu'elle devrait faire, mais incapable d'envisager une autre solution. Pup revint à la maison à minuit. Elle entendit la porte se refermer. Myra était assise au pied de son lit. Sous le plafonnier, Edith cousait.

– Si vous voulez l'honnête vérité, Doreen, vous devenez une véritable alcoolique.

– Il faut bien qu'elle ait une consolation, la pauvre petite, avec son handicap. Nous l'avons conduite chez des spécialistes. Il n'y a rien à faire.

– Ne croyez pas que je vous blâme, Edith. Nous avons tous nos problèmes. Il faut apprendre à vivre avec.

– C'est bien vrai.

Elles se mirent à parler ensemble, comme si Dolly n'était pas là.

– Sortez d'ici, toutes les deux ! cria-t-elle.

Pup, qui passait avec d'infinies précautions devant la chambre, s'immobilisa. Il se sentit aussi glacé que s'il avait reçu une douche froide.

XIX

Dès que Diarmit Bawne fut parti, Conal se sentit libéré. Tel un maître d'école, Diarmit l'avait surveillé, s'efforçant de lui dicter sa conduite. Mais à la fin, il avait renoncé. Conal refusait de se laver ou de nettoyer la chambre ou même de se coucher à des heures régulières. Conal avait la loi de son côté. C'était sa chambre. Il en était le locataire en titre. S'il lui disait de vider les lieux, Diarmit n'avait qu'à s'exécuter.

– Et débarrasse-moi de ton fourbi !

Diarmit ne l'avait pas fait. Aussi un soir, quand il fut trop tard pour que l'on vînt démolir l'immeuble, Conal avait rassemblé tous les vêtements qui n'étaient pas rouge sombre, ainsi que quatre assiettes et quelques couverts et était allé jeter le tout dans une poubelle de l'autre côté de la pelouse.

Maintenant Diarmit était vraiment parti. Conal n'avait plus à se montrer bon citoyen. Diarmit n'avait cessé de le harceler pour qu'il trouve un travail. Il pouvait oublier tout cela, comme l'obligation de se lever tôt et de sortir dans le froid en s'inquiétant de ses devoirs et de l'avenir. Il était Conal Moore, recherché par la police pour vol et meurtre.

La nuit tombait très tôt. Dès qu'il faisait sombre, il se sentait en sécurité. Il sortit acheter un aiguisoir électrique. Assis par terre, au milieu de la pièce, il se mit à affûter ses couteaux, en testant le fil de la lame. Le sang ne tarda pas à couler de ses doigts tailladés. Il s'essuya la main sur son pantalon rouge sombre ; les taches ne se voyaient pas.

Une ou deux fois, Diarmit essaya de revenir. Il ne frappa pas contre la porte, mais gratta avec ses ongles sur le linoléum comme une souris. C'est ainsi que Conal sut que c'était lui. Qui d'autre aurait-ce pu être ?

Pup savait peu de choses sur Anubis. Il décida de creuser le sujet et étudia les formules d'évocation. Bien vite il comprit qu'il serait vain d'essayer de tout retenir par cœur. Il manquait trop d'entraînement.

Dolly voulait que la cérémonie eût lieu pour son anniversaire. Si Dilip ou Andrea avaient demandé à Pup quel cadeau il comptait offrir à sa sœur pour l'occasion et qu'il ait répondu : un dieu, on l'aurait cru fou.

Il aurait préféré qu'elle réclamât autre chose. Un bijou par exemple. Il commençait à être agacé de la voir arborer en permanence cet affreux bout de fer-blanc, peint en rouge et vert. Mais non. Elle désirait qu'il invoquât Anubis pour elle, dans le temple.

Ce serait la dernière fois, il y était bien résolu. Sitôt la farce terminée, il démantèlerait le temple. La prochaine fois qu'elle s'y rendrait, elle ne trouverait qu'une pièce de grenier vide. Et ses alibis ? Il imaginerait autre chose. Ou même, il lui dirait la vérité. Elle en serait sans doute très affectée, mais cela vaudrait mieux. La situation devenait intenable.

Dolly reçut une carte d'Yvonne. Elle lui avait dit, par hasard, que son anniversaire approchait et Yvonne s'en était souvenu. Il y avait aussi une carte de Pup et une d'Harold, de l'écriture de Pup. Dolly s'acheta un gâteau et le posa sur la table à thé.

Personne ne viendrait et elle ne sortirait pas, mais elle s'habilla avec encore plus de soin que d'habitude. C'était la tradition chez les Yearman : les femmes s'habillaient toujours pour Noël et pour leur anniversaire. Pendant qu'elle se préparait, elle entendit Edith en parler à Myra :

– Aussi occupée que j'aie pu être, j'ai toujours trouvé le temps de monter mettre ce que j'avais de plus élégant.

– Très franchement, je trouve la vie trop courte pour perdre son temps de la sorte.

– Elle a certainement été courte pour nous, ma chère.

Pup souffla la poussière sur les attributs élémentaires. C'était de la coupe dont il aurait surtout besoin. Il se demanda quelle place Anubis occupait dans l'arbre de vie. Il opta pour la quatrième et traça sur le sol une figure à quatre côtés à l'intérieur d'un cercle. Puis il masqua la fenêtre avec un morceau de tissu bleu que Dolly lui avait donné. Sur l'autel il disposa quatre cartes des tarots et noua autour de sa robe dorée une large ceinture.

Il devait avoir l'air parfaitement ridicule dans cet accoutrement. Par bonheur, il n'y avait pas de miroir dans le temple. Dolly suivait ces préparatifs le visage plus illuminé que jamais, les yeux injectés de sang et cependant vêtue comme pour une réception. Combien de bouteilles de vin consommait-elle par semaine ? Et que pouvait-il faire ? En parler à son père, solliciter son aide ? C'était risible. Elle tenait quelque chose à la main, enveloppée dans du papier de soie. Sans doute le cadeau qu'il lui avait fait. Elle n'avait pas semblé apprécier la main de Fatma qu'il espérait voir remplacer le talisman à son cou.

Il alluma deux bougies bleues et remplit la coupe avec le vin que Dolly avait apporté dans un verre. Puis, l'élevant comme un calice, il commença une évocation où se mêlaient toutes les formules, litanies et citations qu'il avait conservées au fond de son esprit.

Je t'évoque, Toi qui ne connais pas de limites,
Toi qui règnes sur le Néant,
Anubis, fils de Nephthys
De la race d'Asar-Un-Nefer, Osiris le ressuscité...

Dolly regardait et écoutait, fascinée. Elle avait bu une bouteille entière de Valpolicella avant la cérémonie. Le sang battait à ses tempes et elle se sentait oppressée. A présent, elle regrettait d'avoir autant bu. Anubis, le dieu à tête de chacal... Tout bien réfléchi, elle se demandait si ce n'était pas à cause de leur point commun qu'elle l'avait choisi. Lui aussi était affublé d'une défiguration qu'il ne pouvait cacher.

Elle leva la main pour toucher le nævus, mais Myra devança son geste. Edith et Myra étaient venues la rejoindre dans le temple. Elle les entendait chuchoter, sans pouvoir saisir leurs paroles et elle se rappela soudain les séances de Mrs Fitter. Elle éprouvait la même fièvre, la même exaltation. Après avoir reposé la coupe sur l'autel, Pup alluma des cônes d'encens dans un brûle-parfum. Une forte odeur de patchouli et de bois de santal s'en dégagea. Il souffla une des bougies. De petits points rouges luisaient dans le brûle-parfum, tandis qu'une épaisse fumée s'élevait. Il faisait sombre maintenant dans la pièce aux murs noirs.

La bougie jetait des reflets sur la robe de Pup. Son visage restait dans l'ombre. Tout près de la fenêtre, Dolly apercevait les silhouettes floues d'Edith et de Myra vêtues de toges blanches.

Pup pénétra dans le cercle tracé à la craie et le referma à l'endroit où il était entré avec la pointe de sa baguette magique. Il la posa à ses pieds et éleva le brûle-parfum. La maison était silencieuse. Les deux spectres avaient cessé de chuchoter.

– Je t'adjure, toi, Anubis, fils d'Osiris, ou peut-être fils de Râ, viens, apparais sur-le-champ, *venite, venite*, Lucifuge, viens, apparais sous ta forme immortelle !

La voix de Pup tombait dans un silence absolu. Le temple était froid comme une tombe.

– Montre-toi, Osiris, Seigneur du Monde des Ténèbres, guide des âmes, porteur du caducée et des palmes.

Dolly s'était mise à trembler.

– Pup...

Il ne l'entendit pas. A ce stade, il s'amusait toujours. Il aimait jouer la comédie et comprenait que les amateurs d'occultisme aient tiré parti de mots dont les consonances étranges agissaient comme un charme.

– Lève-toi, Anubis, je te le commande, Anubis incarné, prince de la mort, *fundator sepulcrum*. Viens !

La fumée jaune s'élevait maintenant jusqu'au plafond, enveloppant Pup dans ses lourdes volutes. C'était cela qui avait arraché un cri à Dolly. Pup était maintenant dissimulé par un écran opaque et ses paroles paraissaient venir de très loin.

Lentement une silhouette se dessina au centre de la spirale ; elle se déployait, gigantesque, montrant un torse nu et brillant, comme coulé dans du bronze. Le visage prenait forme et s'allongeait peu à peu en un museau de chacal.

Dolly poussa un hurlement. Elle sauta sur ses pieds, renversant d'un coup de coude la bougie sur l'autel et lança la petite poupée de cire aux pieds du dieu. Pendant une seconde, elle resta figée, le bras tendu, puis s'écroula, évanouie.

Pup, qui reposait le brûle-parfum pour clore la cérémonie, fit volte-face en entendant Dolly crier.

La bougie renversée s'était éteinte, non sans avoir

d'abord mis le feu à ce que Dolly avait lancé – un objet en cire et en tissu qui flamba sur le parquet. Il le ramassa à l'aide du poignard et le fit tomber dans le brûle-parfum. Puis il alluma le plafonnier. Dolly ouvrit les yeux. Il s'agenouilla près d'elle.

– Comment te sens-tu ? Qu'est-ce qui t'a prise ?

Elle le fixa sans mot dire, se souleva et regarda la poupée qui se consumait dans le brûle-parfum.

– L'as-tu vu ?

Pup eut l'impression qu'un doigt glacé glissait le long de son dos.

– Je n'ai rien vu. Il n'y avait rien à voir. Je suis navré. Je n'aurais jamais dû faire cela.

Il l'aida à se relever.

– Où est-il, maintenant ? demanda-t-elle en jetant un coup d'œil autour d'elle.

– Descendons, dit-il, avec douceur. Je vais te préparer une boisson chaude. Je l'ai fait fuir. Tu n'as rien à craindre.

– Tu es bien sûr qu'il soit parti ?

– Je l'ai banni. Je te promets qu'il ne reviendra pas.

Pup se faisait honte. Il en aurait pleuré de dégoût de lui-même. Soutenant Dolly, il claqua la porte derrière eux.

Dans la cuisine, il prépara du thé très fort. Dolly était silencieuse. Elle but son thé, en tenant la tasse à deux mains. Pup réfléchissait. Les troubles mentaux de Dolly s'aggravaient. Il s'agissait de bien autre chose qu'une simple bizarrerie. Tout avait commencé à l'époque où, adolescent complexé, il avait vendu son âme au diable sur la vieille voie de chemin de fer. Auparavant, Dolly était normale. En tout cas, aussi normale qu'une femme pouvait l'être avec une marque pareille sur la joue. Mais dès qu'il l'avait introduite dans le monde de l'occulte, elle avait été rongée par le mal. Les livres ne se trompaient pas, finalement, quand ils disaient que le magicien s'exposait à voir le monde invisible s'immiscer dans sa vie sans pouvoir l'en chasser. Ils reconnaissaient, à leur façon, qu'un esprit qui s'évade de la réalité sombre dans la schizophrénie. Depuis quelque temps, Dolly semblait être accompagnée par d'invisibles présences. Elle voyait des choses, entendait des voix. Que s'était-il passé au juste dans le temple ?

Son cas relevait de la psychiatrie. Il fallait qu'elle suive un traitement. Il la ramena dans sa chambre. Tandis qu'elle se déshabillait, il alla dans la salle de bains chercher un somnifère, dans un flacon laissé par Myra. Puis il s'assit au bord du lit et lui prit la main. Quand il aurait trouvé quelqu'un pour s'occuper de la nouvelle boutique, il conduirait Dolly chez un psychiatre. En attendant, il prendrait soin d'elle. Il ne la laisserait plus seule, le soir.

Le Seconal procura huit heures d'un lourd sommeil à Dolly. Quand elle s'éveilla, ce fut pour se souvenir que la poupée de cire avait brûlé. L'apparition effrayante du dieu était le tribut qu'elle avait dû payer pour qu'il lui accordât la destruction d'Ashley Clare. C'était aussi une preuve supplémentaire du merveilleux pouvoir magique de Pup.

Yvonne devait venir dans l'après-midi. Ce serait la première fois qu'elle lui rendrait visite sans motif précis. Il n'y aurait pas de robe verte à essayer, d'ourlet à mesurer. Dolly monta au temple et enleva le tissu bleu de la fenêtre. Elle ramassa les bougies et les remit en place, puis elle prit le brûle-parfum et en examina le contenu. Le tweed, le lin et les cheveux avaient été entièrement consumés et il ne restait plus du corps qu'un morceau de cire grise au fond du bol.

Elle rangea l'autre poupée dans une boîte. Il ne fallait pas qu'Yvonne la vît. Après avoir mis une bouteille d'asti dans le réfrigérateur, elle monta s'habiller pour faire honneur à sa visiteuse. Elle mit son tailleur à carreaux bleus et gris, une blouse en polyester fuchsia soulignée par une ceinture en cuir bleu marine et des escarpins assortis. Ses cheveux étaient beaucoup plus longs parce qu'Yvonne les portait ainsi. Elle les enroula soigneusement sur le nævus et accrocha la mèche avec une barrette rose. Myra et Edith chuchotaient dans un coin de la pièce. On aurait dit qu'elles partageaient un secret, car elles s'interrompaient pour la regarder et parfois pouffaient de rire. Jusque-là, elle ne les avait jamais vues se conduire ainsi.

Pup avait l'intention de rentrer de bonne heure. Dorénavant il resterait à la maison tous les soirs, jusqu'à ce que Dolly soit rétablie. Andrea lui coupa les cheveux à 4 heures et demie et fit la moue, quand il annonça qu'il rentrait voir sa sœur. Il la raccompagna à Mount Pleasant Gardens et pour la première fois vit Diarmit Bawne qui sortait de la maison avec un sac vert de chez Harrods.

Lorsqu'il arriva dans Manningtree Grove au volant de sa camionnette, il crut qu'Yvonne n'était pas venue. Il n'y avait pas de Porsche verte en stationnement. Mais en entrant, il fut assailli par un parfum délicat de musc et de fleurs. Son soulagement fut intense, tout à fait disproportionné d'ailleurs, mais il le mit sur le compte de son désir de voir Dolly rompre son isolement.

Assises sur le divan, elles bavardaient en buvant de l'asti. Pup fut soudain envahi de compassion pour sa sœur, si gauche dans sa tenue trop étudiée, avec cette blouse ridicule qui accentuait son teint rouge. Elle supportait mal la comparaison avec Yvonne, frêle sylphide dans une robe de laine aussi légère que de la dentelle.

Il lui demanda comment elle allait, s'assit et accepta un verre de vin.

– Je fais réviser ma voiture et je ne l'aurai pas avant demain. Dolly dit que vous aurez l'amabilité de me reconduire à la maison. Mais je ne veux pas abuser. Je peux très bien téléphoner pour avoir un taxi.

– Je vous renconduirai avec plaisir.

– Nous allons ouvrir une autre bouteille de vin, dit Dolly.

Elle ne vit pas le rapide coup d'œil échangé entre Pup et Yvonne. Pup haussa les épaules :

– Je préférerais manger quelque chose.

Dolly se cabra :

– Tout est prêt sur la table de la cuisine. Tes repas ne sont-ils pas toujours servis à l'heure ?

Il apporta au salon un plateau contenant une cuisse de poulet, des chips et des tartelettes au citron. Lorsqu'il était gamin, il adorait ce genre de repas. Plus maintenant.

Yvonne grignota quelques chips et mangea la moitié d'une tartelette. Dolly s'éclipsa et alla ouvrir une seconde bouteille d'asti d'une main fébrile. Sans qu'elle parvînt à s'expliquer pourquoi, elle n'aimait pas rester seule dans la cuisine la nuit venue.

Il était près de 10 heures, quand Yvonne déclara qu'il était temps de rentrer chez elle. Sur le pas de la porte, elle confia à Dolly :

– George devait revenir à la maison pour le week-end, mais il a téléphoné pour dire qu'il ne pourrait pas. Il veut rester à l'appartement pour s'occuper d'Ashley Clare.

– Pour s'occuper de lui ?

– Ne vous l'ai-je pas dit ? Il a attrapé un mystérieux virus et il est sérieusement malade.

XX

Mollement étendue sur des coussins, Vénus – ou peut-être Psyché –, contemplait sa beauté nue dans un miroir, tandis qu'une vieille femme, penchée de l'autre côté de la couche, lui présentait un collier de perles. Le tableau, exécuté dans des tons sombres, se détachait sur le satin ivoire qui tapissait les murs de la chambre d'Yvonne.

– George ne l'a jamais aimé, déclara-t-elle.

– Ce n'est pas étonnant !

Pup se redressa pour écarter de son front quelques mèches rebelles.

– Elle est trop grasse pour les goûts modernes, de toute façon. Et tu es beaucoup plus belle qu'elle.

– Personne ne m'a plus dit que j'étais belle, depuis la mort de mon premier mari.

– Inutile de parler de lui. Ni de George. L'un est mort, l'autre n'est pas digne de toi. Oublions-les. Nous devrions nous habiller. Je t'emmènerais bien dîner dehors.

Yvonne regarda sa montre sertie de diamants posée sur la table de chevet.

– Oh ! Sais-tu l'heure qu'il est ? Nous avons passé tout l'après-midi au lit !

– Et un dimanche par-dessus le marché !

– Peter, je veux que tu saches que jusqu'ici je n'ai jamais été infidèle à mes maris. Je te promets de ne plus te parler d'eux, mais tu dois comprendre que je n'ai pas l'habitude de ce genre de situation. D'ailleurs, ce n'est pas de cette façon que tu m'as attirée, la première fois que je t'ai vu chez la pauvre Myra. Ton récit m'a bouleversée. J'ai vu en toi une sorte de dieu, de gourou.

– Mieux vaut oublier ces bêtises. Je n'ai jamais possédé aucun pouvoir et n'en aurai jamais. Ce sont des histoires inventées par Dolly. Quoi qu'elle ait pu te raconter, je ne peux rien pour séparer George d'Ashley. Mais pourquoi nous en soucier ? Tu n'as plus besoin de George.

Elle le regarda d'un air de doute et sourit.

George n'avait plus passé une seule nuit chez lui depuis quinze jours. Ashley Clare fumait beaucoup et le virus s'était logé dans ses poumons. Yvonne avait expliqué cela à Dolly au téléphone quand elle s'était excusée de ne pas venir la voir comme promis. Il était alité, trop faible pour bouger. Le médecin parlait de l'envoyer à l'hôpital pour pratiquer des examens. Dès qu'il quittait son cabinet dentaire, George se précipitait à son chevet.

Ce qui arrivait à Ashley ne surprenait pas Dolly. Néanmoins elle se sentait gagnée par l'inquiétude. Pup avait évoqué le dieu, sans même savoir dans quel but, et le dieu avait consumé Ashley par le feu. Ce ne serait pas une mort rapide, comme celle de Myra, mais finalement, il mourrait quand même. Tout comme on avait prétendu que Myra avait succombé à une embolie on dirait que la mort d'Ashley Clare était due à une défaillance cardiaque ou à une allergie aux antibiotiques. Elle seule connaîtrait la vérité.

Elle attendait des nouvelles avec impatience, mais Yvonne ne venait ni ne téléphonait plus. Dolly en comprenait parfaitement la raison : elle était déçue de ne pas obtenir de résultats. Peut-être même croyait-elle que Dolly n'avait pas pris la peine d'en parler à Pup. Au lieu de lui revenir, George semblait plus attaché que jamais à Ashley.

Eh bien ! Ce n'était qu'une question de temps. Dès que Ashley Clare serait mort, Yvonne témoignerait sa reconnaissance. George l'aimerait de nouveau et tous deux deviendraient leurs meilleurs amis à elle et à Pup. Elle se voyait déjà avec eux dans la Porsche ou peut-être dans la Mercedes de George. Ils iraient au restaurant. Dolly fouilla dans les affaires d'Edith et trouva son alliance. Elle allait parfaitement à l'annulaire de sa main gauche. En voyant la bague, Edith dit à Myra :

– Je suis heureuse qu'elle la porte. J'ai toujours eu l'alliance de ma mère à la main droite.

Dolly changea aussitôt la bague de main et s'installa devant sa machine afin de piquer les coutures de la salopette qu'elle confectionnait pour Yvonne. Celle-ci ne lui avait rien demandé. Dolly voulait lui faire une surprise. Les voix chuchotaient dans un coin de la pièce comme si les deux femmes étaient devenues des amies. Elles ne s'adressaient plus à Dolly désormais.

– Très franchement, Edith, personne ne sera dupe. Jamais on ne prendra Doreen pour la femme de votre fils.

– Non, ma chère, je le sais.

– Avec une telle marque, on se doute bien qu'il est impossible...

Dolly appuya furieusement sur la pédale, noyant leur conversation dans le vacarme de sa machine. Elle termina les coutures et dut s'arrêter. Les soupirs et les chuchotements reprirent. Comment arrivaient-elles à lire ses pensées ?

– Peter est très intelligent, je vous l'accorde. Il n'est pas impossible qu'il puisse faire quelque chose pour elle.

– Tous les spécialistes que nous avons consultés se sont déclarés impuissants.

– Je ne parle pas de sciences médicales. Il existe d'autres moyens. Pourquoi ne lui demande-t-elle pas d'utiliser ses pouvoirs ?

Excédée, Dolly leur lança une bobine de coton et elles disparurent. Ce que Myra avait suggéré la laissait toute tremblante. Elle alla chercher une bouteille de frascati dans la cuisine. La lampe ne s'alluma pas lorsqu'elle manœuvra l'interrupteur. L'ampoule était brûlée. Seule la veilleuse du fourneau à gaz jetait une lueur dans l'obscurité.

Il était là, appuyé contre le réfrigérateur, gigantesque et menaçant, le museau retroussé en un rictus sardonique. Anubis, le Seigneur du Cimetière, le nécrophage, tenait dans ses mains le caducée et les palmes. Dolly cria. Il n'y avait personne pour l'entendre. S'époumonant de plus belle, elle claqua la porte derrière elle et courut se réfugier au salon où elle s'effondra par terre en battant le tapis de ses poings.

Des pas lourds retentissaient au-dessus d'eux, sans trêve. C'était insupportable. Toute la pièce en vibrait.

– Ça m'inquiète, dit Andrea, ça m'inquiète vraiment !

– Tu n'as qu'à déménager, dit Pup. Que peux-tu faire d'autre ? Tu es montée lui dire de cesser. Je suis monté à mon tour. Malgré cela, il continue.

Andrea le regarda. Ils étaient assis sur le lit et mangeaient des œufs à la florentine qu'elle s'était donné beaucoup de mal à préparer.

– J'ai une idée. Accompagne-moi chez un médecin et dis-lui que nous pensons que ce garçon a besoin de ses soins. Il relève de l'hôpital psychiatrique, Peter, et devrait être traité.

– C'est impossible, voyons !

Il avait bien assez de problèmes de ce genre à la maison, sans en chercher à l'extérieur.

– Cette histoire ne me regarde en rien.

– Et qui regarde-t-elle, alors ? Il est seul. Il ne semble pas avoir de famille. Son cas est grave. Je suis sûre qu'il est fou. Il pense que, s'il sort dans la journée, des ouvriers vont venir démolir la maison. Il me l'a dit. De plus, il prétend que son nom est Conal Moore. Trois locataires de l'immeuble m'ont confirmé que Conal Moore était un grand blond qui a quitté les lieux, il y a eu un an, en juillet, et qu'il n'est jamais revenu depuis.

– Tu veux que j'aille raconter une histoire pareille à un médecin ? Quel médecin, du reste ?

– Je n'en connais pas, mais il doit bien y avoir un généraliste dans le quartier.

– Va en voir un si tu y tiens, mais ne compte pas sur moi. A ta place, je déménagerais, ce serait plus simple.

Elle le regarda, comme si elle avait envie de répliquer et n'osait pas. Au-dessus de leurs têtes, les pas continuaient leur va-et-vient incessant.

Plus tard, quand il fut à la maison, Dolly lui demanda de changer l'ampoule électrique de la cuisine. Il remarqua qu'elle n'entra pas dans la pièce, avant que la lumière fût rétablie. Ce soir, elle sentait le cognac.

Charité bien ordonnée commence par soi-même. Avant de faire quelque chose pour Diarmit Bawne, il devait faire quelque chose pour sa sœur. Il la vit jeter un coup d'œil craintif autour d'elle. Désirant dissiper la tension, il déclara :

– A propos, l'ami de George Colefax a été transporté à l'hôpital.

– A l'hôpital ?

– Il a une congestion pulmonaire. Son état est jugé sérieux.

– Comment le sais-tu ?

De qui était-elle jalouse ? De lui ou d'Yvonne ? Il mentit sereinement :

– Je faisais une tournée en banlieue et j'ai rencontré Yvonne, par hasard.

Les yeux et la bouche tremblante de Dolly disaient ses soupçons.

Le lendemain matin, au petit déjeuner, ce fut elle qui aborda de nouveau le sujet.

– Je n'en sais pas plus, dit-il, avec un certain agacement. Seulement qu'il est à l'hôpital et que son électrocardiogramme est préoccupant. On dit qu'il a un souffle au cœur.

Elle le fixa d'un air sévère et poussa un soupir.

Harold entra dans la cuisine, vêtu de son meilleur costume. Il accepta une tasse de thé et quelques cornflakes dans un bol.

– Je n'irai pas à la boutique, aujourd'hui, déclara-t-il, j'ai un rendez-vous en ville.

– Les achats de Noël ? demanda Pup.

Harold, qui n'avait pas souri depuis des semaines, éclata de rire. L'idée était bouffonne.

– Je ne saurais le dire.

Il saisit brusquement le sucrier et saupoudra ses cornflakes qu'il se mit à engouffrer avec voracité. Pup n'ajouta rien. Le rendez-vous de son père avait sans doute un rapport avec la lettre qui était arrivée deux jours plus tôt et qui l'avait plongé dans une panique surexcitée.

Après leur départ, Dolly téléphona à l'hôpital et apprit, en se faisant passer pour sa sœur, que l'état d'Ashley Clare était stationnaire.

Elle dut se contenter de cette réponse. Depuis l'apparition dans la cuisine, elle n'avait pas revu Anubis, mais elle sentait sa présence. Il fallait le supporter, pensait-elle en serrant les dents. Il resterait là jusqu'à ce que son œuvre soit terminée.

Quand Ashley Clare serait mort, il disparaîtrait.

L'idée lui vint de confectionner une poupée pour Yvonne. Elle la poserait sur le lit, dans sa chambre blanche et or.

Cette nuit-là, elle rêva d'Anubis. Il conduisait les morts de l'Autre Côté. Edith et Myra le suivaient, ainsi que Mrs Brewer avec Fluffy dans les bras. Ashley Clare ouvrait la marche à côté du dieu et le sentier qu'ils suivaient conduisait au tunnel sur la vieille voie de chemin de fer.

Pup rentra à 8 heures. Il l'embrassa sur la joue et elle sentit le parfum de Balmain. Myra et Edith chuchotèrent. Dolly s'écarta de son frère, comme si une odeur répugnante lui avait sauté au visage. Pup ne parut pas le remarquer.

– J'ai quelque chose d'intéressant à te dire.

Aussitôt elle se montra soupçonneuse.

– Quel genre de chose ?

– Papa a écrit un livre. C'est un roman historique et il va être publié. L'autre jour, il avait rendez-vous avec un éditeur. Son livre a plu et on lui a demandé d'en écrire un autre. Qu'en dis-tu ? Il va prendre sa retraite et me laisser le champ libre.

– Oh ! Je vois.

– Il est fou de joie. Je l'ai laissé au pub où il boit un verre, pour célébrer son succès.

– Ainsi il est heureux, dit-elle. Il a obtenu ce qu'il désirait. Tout s'arrange pour lui.

– On peut le dire, oui.

Elle resta silencieuse. Sans savoir pourquoi Pup se sentit mal à l'aise. Elle le fixait d'un regard égaré, paraissant voir quelque chose derrière lui. Il se retourna et aperçut une poupée ressemblant exactement à Yvonne, vêtue d'une robe de mariée. Pourquoi ? se demanda-t-il.

– Pup... Pouvons-nous monter au temple ?

Il haussa les épaules.

– Tu peux faire n'importe quoi, reprit-elle, je le sais maintenant. Tu as plus de pouvoirs qu'un médium, que n'importe qui... aussi... veux-tu... (Elle leva une main tremblante vers sa joue.) Veux-tu m'enlever cela ?

Il resta sans voix.

– Tu pourrais le faire par degrés. Il n'est pas nécessaire de le retirer tout d'un coup.

Il perdit son sang-froid, alors que c'était le moment entre tous où il aurait dû se montrer doux et compréhensif.

– Je ne peux pas. Tu sais que je ne le peux pas !

– Tu peux faire n'importe quoi.

– Dolly, c'est impossible. Ecoute-moi. (Il s'approcha d'elle et la prit par les épaules :) Pardonne-moi d'avoir crié. Je n'aurais pas dû. Mais je ne peux rien pour ta marque de naissance. Le comprends-tu ? C'est impossible.

– Je crois plutôt que tu ne veux pas.

– Tu te trompes ! Ecoute-moi. Je donnerais tout ce que je possède, je donnerais des années de ma vie, si c'était possible.

Il croyait dire la vérité et son accent était sincère.

Détachant chaque syllabe, elle déclara :

– Tu as tué Myra. Tu as obtenu ton permis de conduire. Tu as apporté à papa le bonheur et le succès, tu as la boutique à toi, alors pourquoi me refuses-tu cela ?

– Essaie donc de comprendre, Dolly. La mort de Myra a été une coïncidence. J'ai obtenu mon permis parce que je sais conduire. Papa a écrit son livre tout seul. Quelle formule magique aurait pu faire de lui un écrivain ?

– Non, je ne comprends pas.

– La magie est une farce, Dolly. Tous ces auteurs qui ont écrit des pavés là-dessus sont des charlatans, des fous ou des superstitieux. Ce ne sont là que des sottises. On ne peut renverser les lois de la nature à l'aide de quelques paroles stupides. Si je te déçois, j'en suis désolé, mais il faut que tu saches la vérité. Autant que ce soit maintenant. Je n'étais qu'un gosse plein de prétentions, ne le vois-tu pas ?

A son désespoir, Pup lut l'incrédulité sur son visage, mêlée à du chagrin et à du ressentiment.

– Pourquoi continues-tu, alors ? Pourquoi vas-tu à tes réunions ?

– J'ai eu tort, dit-il avec amertume. J'ai eu tort et je le regrette. Je ne recommencerai pas. Cela, je te le promets. Et je vais m'assurer de ne jamais pouvoir le faire.

Il quitta la pièce en claquant la porte. Elle resta assise là, immobile. Le petit miroir que Myra avait suspendu contre le mur lui renvoyait son image et elle détourna la tête. Les pas de Pup résonnèrent dans l'escalier.

– Il ne voulait pas dire cela, murmura Edith. Il se calmera, dans un jour ou deux.

Myra se mit à rire :

– Le fait est, Edith, qu'il voit Yvonne Colefax. Il est allé chez elle. J'ai senti le parfum qu'elle utilise. Eh bien ! Il est normal qu'elle l'ait préféré à Doreen, n'est-ce pas ?

– Il est en haut maintenant et cherche dans ses livres ce qu'il peut faire pour cette pauvre Dolly.

– Attention, dit Myra, quand Ashley sera mort et que George sera revenu auprès de sa femme, il mettra un terme à cette liaison.

Dolly décrocha le téléphone. Yvonne répondit à la troisième sonnerie.

– Oh ! Dolly, comment allez-vous ?

– Très bien. Je vous ai fait quelque chose. C'est une surprise. Deux, en réalité. Voulez-vous passer les chercher ?

– Je... je suis très occupée en ce moment, Dolly.

– Ne pourrais-je venir vous les porter ?

– Attendons un peu, voulez-vous ? A moins que votre frère ne se charge de les déposer. Ecoutez, je vous rappellerai.

Dolly se sentit refroidie, néanmoins elle demanda :

– Comment va Ashley Clare ? Est-il mort ?

– Non, bien sûr que non. Il va sortir de l'hôpital pour Noël et ira passer une semaine de convalescence au Maroc. George l'accompagne.

XXI

La fille du dessous faisait partie de la police, ou alors c'était une espionne à la solde des constructeurs. Ou peut-être les deux. Il fallait l'éviter. Il ne devait pas oublier qu'il était recherché pour meurtre.

Elle s'obstinait à l'appeler Diarmit. Il n'avait pas changé le nom sous le bouton de sonnette, afin d'égarer la police. De toute évidence, sa ruse avait réussi. De son côté, la fille prétendait s'appeler Andrea. Une invention, sans l'ombre d'un doute.

– Passez-vous parfois par l'ancienne voie de chemin de fer ? avait-il demandé.

Elle avait secoué la tête en disant qu'elle connaissait mal le quartier.

– Une jeune fille y a été décapitée, il y a un an et demi. Soyez prudente ! L'assassin pourrait frapper encore.

Il vit qu'il l'avait effrayée. Mais il ne fallait pas insister. Ce serait dangereux. Avant qu'il ne lui ait parlé du meurtre, elle avait essayé de le persuader qu'il n'y avait aucun risque que la maison fût démolie. Qu'en savait-elle ? Parfois, il pensait qu'elle était un peu dérangée. Pour Noël, elle lui avait apporté un morceau de dinde et quatre petits pâtés. Il n'y avait pas touché. La viande contenait sûrement un sérum de vérité qui lui ferait tout avouer. La nuit venue, il était allé la déposer sur la pelouse, pour le dalmatien et le colley. Le sérum de vérité est inoffensif pour les chiens qui ne peuvent parler, de toute façon.

Deux jours après le 1er janvier, les ouvriers revinrent démolir des boutiques en bordure de la pelouse. Elles étaient fermées par des planches depuis des mois. Il se sentit soulagé de les voir occupés ailleurs car cela signifiait qu'ils ne viendraient pas abattre son immeuble. Pour la première fois depuis bien longtemps, il s'aventura dehors en pleine journée et se rendit sur la vieille voie de chemin de fer.

En revenant, il rencontra Andrea en compagnie d'un collègue policier, ce garçon blond qui conduisait une camionnette banalisée pour faire croire qu'il vendait des machines à écrire. Il passa sans les regarder.

– Tu vois, dit Andrea. Il n'est pas normal.

– Ce ne sont pas tes affaires.

Elle remarqua qu'il avait dit « tes » et non pas « nos » affaires. Ils montèrent. Andrea prépara du café. A l'étage au-dessus, les pas commencèrent leur va-et-vient.

– Je persiste à croire que je devrais faire quelque chose.

Elle avait pris soin d'appuyer sur le « je ». Pup se sentit mal à l'aise.

– Peter ? Mr Manfred va ouvrir un nouveau salon à Saint Alban. Il m'a proposé d'y travailler et de loger sur place.

– Ce serait peut-être une solution.

– Oh !... je pensais... Peu importe.

Il savait ce qu'elle pensait. Elle espérait qu'il lui demanderait de rester, qu'il envisagerait de vivre avec elle, de se fiancer...

– Ça ne marcherait pas, dit-il, avec douceur. Vraiment. Nous avons passé de bons moments ensemble, mais ça ne marcherait pas.

Elle regarda le lit où les coussins étaient arrangés avec une précision géométrique.

– Est-ce parce que je n'ai pas voulu...

– Oh ! Non. Ce n'est pas la question.

– Demain matin, je dirai à Mr Manfred que j'accepte d'aller à Saint Alban. Je crois que je déménagerai bientôt.

Elle avait l'air d'attendre qu'il s'en aille, afin de pouvoir pleurer en paix. Jamais il ne lui avait fait aucune promesse ou laissé croire qu'il cherchait auprès d'elle autre chose qu'une compagnie agréable. Elle se leva. Il l'embrassa sur les deux joues et s'en alla dans la nuit. Elles étaient toutes sorties de sa vie maintenant. Suzanne était mariée, Philippa partie en Australie et Caroline n'avait été qu'une passade.

A présent, la fidélité lui paraissait très importante. Pourrait-il jamais s'éprendre d'une femme qui ne serait pas blonde, diaphane et dont les yeux n'auraient pas cette extraordinaire couleur bleu-mauve ? Il monta dans la camionnette et se rendit chez les Colefax.

Dolly était consternée. Ashley Clare guérissait ! Comment était-ce possible ? Elle ne pouvait admettre que Pup eût échoué. Si l'évocation n'avait pas eu l'effet escompté c'était parce que Pup n'avait pas su quel en était l'objet. Il ignorait jusqu'à l'existence de la figurine de cire. Tout était de sa faute à elle. Ashley Clare ne mourrait pas et Dolly devrait en porter l'entière responsabilité.

Yvonne avait promis de rappeler et Dolly bondissait sur le téléphone chaque fois qu'il sonnait. Elle évitait de sortir, craignant qu'Yvonne ne cherchât à la joindre en son absence. La salopette était suspendue à un cintre dans le salon et la poupée blonde sagement assise sur la cheminée entre la danseuse de ballet et Ashley Clare. Dilip Raj demanda à parler à

Pup. Puis ce fut le tour de quelqu'un qui prétendit être un ami de Caroline. Wendy Collins appela aussi et se contenta de prendre de ses nouvelles d'un air distrait. Un peu plus tard, elle lui rendit visite et se conduisit d'une manière bizarre, comme si elle s'attendait à voir surgir une autre personne. Dolly la trouva plus grosse que jamais. Elle avait changé de coiffure et ses cheveux étaient si permanentés qu'on aurait dit une perruque.

– J'aime beaucoup vos charmantes poupées, déclara-t-elle. Quand j'étais petite, les poupées étaient mes jouets préférés.

– Quel dommage que vous n'ayez pas eu d'enfants !

– J'ai encore le temps. Voudriez-vous me faire une salopette, dit-elle, en montrant celle d'Yvonne.

Pour la première fois depuis longtemps, Dolly eut envie de rire. Mais ce n'était pas à elle de décider de ce qui convenait à une cliente.

– Si vous voulez.

Elle se demanda pourquoi Wendy s'était attardée cinq bonnes minutes dans le hall, avant de s'en aller. Le téléphone sonna. C'était encore pour Pup. Au fond d'elle-même, Dolly savait qu'Yvonne n'appellerait pas. Yvonne ne voulait plus avoir aucun rapport avec elle. Elle se souvint du parfum qu'elle avait senti sur Pup. Yvonne lui préférait son frère. Maintenant qu'elle le connaissait personnellement, elle n'avait plus besoin d'intermédiaire pour lui demander de rompre les liens entre son mari et Ashley Clare.

Le ferait-il ? Tenterait-il quelque chose pour elle, alors qu'il ne voulait pas intervenir pour sa propre sœur ?

– Très franchement, confia Myra à Edith, je pense qu'il s'est moqué de Dolly, en lui disant qu'il ne croyait plus en la magie. Bien sûr qu'il y croit. C'est sa vie. Il va toujours à ses réunions, n'est-ce pas ?

Dolly ne parvint pas à saisir ce qu'Edith répondit.
Pup ne voulait pas *tuer*, voilà l'ennui. Il avait été très troublé par la mort de Myra. Il ne voulait pratiquer que la magie blanche. Pas même pour faire plaisir à Yvonne, pas même pour lui ramener son mari, il ne consentirait à tuer Ashley Clare. Assise près de la fenêtre, le premier verre de la seconde bouteille de la soirée à la main, elle regardait la neige tomber lentement. Harold claqua la porte du hall et elle le vit s'éloigner sans un regard pour la fenêtre éclairée. Il ne lui offrait jamais un grand réconfort, cependant, elle se sentit encore plus seule quand il fut sorti. Si Ashley Clare ne mourait pas, elle ne reverrait jamais Yvonne. Elle en était certaine. Parce qu'elle lui avait promis de lui ramener son mari et avait échoué, Yvonne la haïrait pour toujours.

Durant la nuit il gela et des stalactites se formèrent au bord des toits dans Manningtree Grove. En dépit du froid, Dolly se leva très tôt, et se rendit à Archway pour prendre l'autobus 210. Elle était engoncée dans un épais manteau – le seul vêtement qu'elle n'eût pas fait elle-même – et remarqua des gens qui avaient remonté leur écharpe jusqu'aux yeux. Elle en fit autant. Au bout d'un moment, elle se sentit comme tout le monde. Sa marque de naissance était invisible et elle pouvait marcher la tête haute.

Elle espérait voir George Colefax sortir de l'immeuble de East Heath Road. Ashley Clare devait être encore convalescent et ne s'aventurerait pas dehors par un froid pareil. Elle fit les cent pas sur le trottoir en se frottant les mains dans ses gants de laine. Les arbres étaient couverts de givre. Un soleil pâle venait de se lever au-dessus de l'horizon, rappelant à Dolly ce matin béni où, des années plus tôt, elle était sortie avec Pup pour aller couper une branche de coudrier, le long de la vieille voie ferrée.

A sa grande surprise, ce fut Ashley Clare qui

poussa la porte vitrée. Il reprenait donc son travail, si tôt après sa maladie ? D'un pas vif, il se dirigea vers la station de métro. Il portait un long manteau en peau de mouton et avait noué son écharpe comme Dolly. Elle le suivit un moment, puis fit demi-tour pour aller reprendre l'autobus. Il paraissait être complètement rétabli et en meilleure santé qu'elle ne s'y était attendue. Elle en fut à la fois déçue et effrayée. L'échec de l'incantation était patent. Parce que le soleil avait percé la brume matinale, elle se rendit à pied de Highgate chez elle en longeant la vieille voie de chemin de fer. A l'entrée du tunnel des plumes grisâtres s'envolaient du matelas inépuisable.

En entrant dans le hall, elle perçut une voix de femme à travers la porte du petit salon. Ce n'était ni celle d'Edith, ni celle de Myra. D'instinct elle sut ce qu'on allait lui annoncer.

– C'est pour ne plus être seul, expliqua Edith.

– On voyait cela arriver de loin, rétorqua Myra.

Dolly hésita et ouvrit la porte. Les pots de peinture et les pinceaux de Myra avaient disparu. Wendy Collins était assise avec Harold devant la table et lisait un manuscrit.

– Ah ! voici Dolly, dit-elle, vous pouvez lui annoncer la nouvelle, Harry.

– Si quelque chose pouvait bouleverser Doreen, c'est bien cela, dit Myra.

Cependant, elle avait tort. Dolly en fut à peine touchée. Si Pup redevenait ce qu'il était naguère, si Yvonne était à nouveau son amie, rien d'autre n'avait d'importance. Peut-être même qu'alors Myra et Edith la laisseraient en paix. En mettant une nouvelle provision de vin dans le réfrigérateur, elle crut voir le dieu à tête de chacal qui la fixait à travers la vitre.

Elle soutint son regard avec courage et il se fondit dans la neige.

Pourquoi ne pas essayer de pratiquer elle-même la magie ? Jusqu'ici elle n'avait pas osé. C'était le domaine de Pup. Cependant les femmes aussi pouvaient s'y livrer. Il suffisait d'avoir la foi, de savoir exécuter correctement les figures ésotériques et réciter les formules sans se tromper... Ne possédait-elle pas certains dons ? Les fantômes évoqués par Mrs Fitter étaient restés avec elle, Anubis ne la quittait plus... Elle avait plus d'affinités avec le monde de l'occulte que Pup, le géomancien chevronné.

Les livres lui permettraient d'acquérir le même savoir. Elle pourrait travailler dans le temple, porter la robe dorée, utiliser les attributs élémentaires. Elle monta l'escalier. A l'heure du déjeuner, Harold était sorti avec Wendy. Le téléphone n'avait pas sonné une seule fois. Il était 4 heures de l'après-midi et le jour déclinait. Arrivée au dernier étage, elle tourna le commutateur. La lampe éclaira faiblement le palier, laissant autour d'elle des zones d'ombre. Cependant, elle était seule. Les chuchotements s'étaient tus, les formes vaporeuses ne se montraient pas. Elle ouvrit la porte et se sentit soudain faible sur ses jambes. Le temple avait disparu.

Ce n'était plus qu'une petite chambre misérable aux murs blanchâtres, meublée d'une table en bambou. Le sol parut basculer et Dolly dut se retenir au bouton de la porte. Un bref instant, elle eut l'horrible impression que le temple n'avait jamais existé, qu'elle avait imaginé ce qui s'y était passé durant toutes ces années. Elle donna de la lumière. La fenêtre sans rideau devint un rectangle bleu. Non ! elle n'avait pas rêvé. Sur la petite table bancale et poussiéreuse reposaient naguère les attributs élémentaires. La robe dorée n'était plus pendue derrière la porte et les *tattwas* avaient disparu, mais elle distinguait des traînées noires sous le badigeon qui enduisait les murs. Et le plancher portait toujours une marque sombre à l'endroit où la figurine en cire avait pris feu.

C'était Pup. Il avait mis sa menace à exécution le soir même où il lui avait dit qu'il ne croyait plus à la magie. Il s'était servi des pots de peinture de Myra, avait retiré la nappe noire qui recouvrait l'autel et emporté les attributs pour les détruire. Soudain elle se souvint des livres. Qu'en avait-il fait ?

Elle sortit de la pièce en courant. Ils n'étaient pas au grenier. Elle se rendit dans la chambre de Pup et la fouilla. Sans se soucier de son intimité, elle ouvrit les portes des armoires et les tiroirs. Elle regarda sous le lit et même sous le matelas. Ils n'étaient nulle part. Pup les avait brûlés ou vendus.

Elle redescendit lentement dans la cuisine et se versa un verre de vin d'une main tremblante.

A quoi lui auraient-ils servi, de toute façon ? Que pouvait-elle faire, maintenant que le temple n'existait plus ? Elle comprenait, enfin, que le temps de la magie et de ses miracles était révolu.

XXII

Pup était très gentil avec elle. Il rentrait à la maison tous les soirs, bien que très tard, parfois. Elle se faisait une obligation de ne pas lui demander où il était allé. Peut-être se rendait-il encore à ses réunions afin de terminer ses cours ? Elle n'avait pas revu Wendy depuis qu'elle l'avait surprise avec son père. Cependant, un jour, elle entendit Mrs Collins déclarer :

– La pauvre Dolly perd la tête. Miss Finlay l'a rencontrée dans la rue dernièrement ; elle parlait toute seule.

Wendy qui était avec elle dans le hall avait éclaté de rire.

– Le premier signe de démence précoce, dit-on.

Ce fut Pup qui lui apprit que Harold et Wendy avaient l'intention de s'installer dans un des appartements au-dessus du nouveau magasin.

– Alors, il n'y aura plus que toi et moi, ici ?

– C'est exact.

Une maison à eux. Une maison pour eux tout seuls !

– Tu pourrais reconstruire le temple dans une des grandes pièces. Tu pourrais tout recommencer.

– Non, ma chérie. Je ne recommencerai jamais. Je te l'ai dit. Ce sont des sottises, Dolly, demande à n'importe quelle personne rationnelle...

Elle ne connaissait personne de rationnel. Elle ne connaissait personne.

– As-tu brûlé les livres ?

– Je les ai vendus à un bouquiniste de Highgate Hill.

– Que vont penser les gens ? chuchota Edith à Myra. J'en suis toute gênée !

– Que vont penser les gens ? demanda Dolly. Tes collègues de l'Ordre hermétique ? Et Yvonne ?

– Je n'en parlerai pas, dit-il, avec légèreté.

Yvonne l'ignorerait donc. Elle continuerait d'espérer que Dolly – ou Pup grâce à Dolly – lui ramène son mari.

– Espoir déçu rend le cœur amer, dit sentencieusement Edith.

Le cœur d'Yvonne était amer. C'est pourquoi elle ne donnait plus signe de vie. Il fallait réagir. Dolly décida de lui faire porter la salopette. Elle acheta du papier fantaisie et empaqueta le vêtement qu'elle confia à Pup. Dépose-le en passant, dit-elle. C'est sur ton chemin.

Il était très tard, quand il rentra ce soir-là, mais Dolly était encore debout. Elle buvait du riesling. Il lui apporta un mot d'Yvonne. *Dolly,* lut-elle, *la salopette est superbe et me va parfaitement. Je suis enchantée. Merci beaucoup. Il faut me dire ce que je vous dois pour le tissu. Bien à vous, Yvonne.*

Elle ne disait pas quand elle la verrait. Le passage proposant de la payer lui fit mal. Yvonne entendait lui rappeler par là qu'elle était également disposée à payer pour un service qui n'avait toujours pas été rendu. Cependant, c'est surtout la froideur du billet qui la peina. Plus de « Chère Dolly » ni « d'affectueusement vôtre », cette fois.

Et puis, Pup avait de nouveau rapporté ce parfum de Balmain. Peut-être lui avait-il simplement serré la main. Pourtant, il fallait aussi envisager que seule, sans mari, Yvonne se fût tournée vers lui, et à moins que George ne revienne...

– Pour être parfaitement honnête, Edith, chuchota Myra, je suis persuadée qu'il y a quelque chose entre eux.

L'été dernier, quand le sujet avait été abordé, Dolly avait voulu que le monde fût débarrassé d'Ashley Clare pour la tranquillité d'Yvonne. Maintenant elle le désirait encore plus, pour sa propre tranquillité. Se rappelant le souffle au cœur dont Pup avait parlé, elle travailla avec une précision toute scientifique sur la poupée, plongeant non pas des épingles, mais de longues aiguilles à tapisserie dans la région du cœur. Il lui semblait impossible qu'une telle malveillance pût être déployée en vain. Puis elle retourna à Hampstead pour connaître le résultat de ses efforts. Ce ne fut que lors de sa troisième tentative qu'elle vit Ashley Clare. Il sortit de l'immeuble et monta dans la Mercedes de George Colefax. En reprenant le bus, Dolly se souvint de la femme qu'elle avait failli envoyer à la mort, rien qu'en la poussant sur la voie.

– J'aimais beaucoup ce vert émeraude, dit Myra en venant s'asseoir à côté d'elle, tandis qu'Edith reculait pour lui faire de la place.

– C'est une couleur difficile à porter, répondit Edith.

Dolly les chassa, mais elles l'attendaient à sa descente du bus. Elle les apostropha :

– Vous ne savez pas tout. Vous prétendiez que Pup faisait de la magie, alors qu'il démolissait le temple. Vous disiez qu'Ashley Clare allait mourir...

Un passant lui jeta un œil goguenard.

– Eh ! doucement, ma jolie. On dirait qu'il y a du vent dans les voiles !

Arrivant à sa hauteur, il vit sa joue et eut l'air embarrassé. Il pensait qu'elle était ivre. Elle gravit les marches du pont d'Archway et s'appuya un instant contre le parapet. Anubis pointa son museau de chacal vers le ciel nuageux. Elle détourna les yeux et quand elle regarda à nouveau, il avait disparu. Dans Manningtree Grove, elle rencontra miss Finlay, mais ne répondit pas à son timide salut. Elle passa son chemin, en invectivant Myra qui continuait à la suivre.

– Je m'en vais, dit l'espionne. Je déménage et je suis montée vous dire au revoir.

Il se demanda s'il devait la croire.

– Je vais m'installer à Saint Alban. J'ai trouvé un appartement.

Comme si c'était plausible !

– Qui va vous remplacer ?

Elle répondit qu'elle l'ignorait. Elle allait partir dans une heure et il lui restait toutes ces provisions, des boîtes de conserve, des pommes de terre, du jambon et même de la poudre à récurer. Il serait dommage de les jeter. Pouvait-elle les lui laisser ?

– Mettez ça là, dit-il en souriant.

Ils essayaient encore de le droguer. Si l'on regardait de près ces boîtes de conserve, on y voyait de petits trous là où l'aiguille hypodermique avait été plantée. Sur les pommes de terre aussi. Ils devaient être fous, s'ils s'imaginaient qu'il se laisserait prendre à des pièges aussi grossiers.

– Eh bien ! Alors, je vous dis au revoir, Diarmit.

– Mon nom est Conal Moore.

Elle haussa les épaules.

– Au revoir.

Il attendit la nuit pour aller jeter les provisions dans une poubelle. Quelqu'un était venu fouiller la chambre en son absence. Il en était sûr. Le sac de chez Harrods contenant les couteaux ne se trouvait plus tout à fait à la même place. Il sentait l'odeur de cette fille dans la pièce. Avec précaution, il renifla la poudre à récurer et éternua. Aucun doute, on essayait de l'empoisonner. Il ouvrit la fenêtre et respira l'air frais de février.

Au bout d'un moment, ses idées s'éclaircirent et il commença à comprendre ce qu'ils essayaient de faire. Ils voulaient qu'il avoue qu'il était Diarmit Bawne, car Diarmit était témoin dans l'affaire et pouvait dire la vérité sur Conal Moore. N'avait-il pas déjà une fois aidé la police ? Il les avait reçus ici, dans cette pièce et leur avait demandé de garder le contact avec lui. Personne ne lui ferait endosser une identité qui n'était pas la sienne. Mais il courait un grand danger ici.

Il lui fallait quitter les lieux avant qu'une nouvelle espionne ne vînt s'installer en dessous. Avec soin, il répandit de la poudre à récurer sur le plancher en une fine couche à peine visible, puis il éteignit la lumière et alla jeter le paquet de poudre dans la boîte à ordures de l'immeuble. Il en profita pour retirer la carte au nom de Diarmit Bawne et remit l'ancienne au nom de Conal Moore.

Lentement il remonta l'escalier, leur laissant tout le temps pour faire leurs recherches. Mais quand il rentra dans sa chambre, rien n'avait été touché et la poudre était vierge de toute empreinte.

Penchés sur le parapet du petit pont chinois, Pup et Yvonne regardaient les poissons rouges dans l'eau sombre. Il faisait doux en ce début de carême. C'était la veille du vingt-et-unième anniversaire de Pup.

– Pauvre Ashley ! Je ne pensais pas qu'un jour viendrait où je le plaindrais.

– Qu'a-t-il exactement ?

– Une maladie de cœur. Il doit cesser toute activité. Il pourrait tomber mort dans la rue, m'a dit George. Je ne l'ai jamais vu aussi déprimé.

– Et s'il meurt, George te reviendra-t-il ?

– Je l'ignore. Peut-être. Rentrons. Il fait froid.

Pup la prit par la taille et ils retournèrent à la maison. Il était amoureux comme il ne l'avait jamais été. Certes, il aimait d'abord Yvonne pour elle-même, mais aussi pour tout ce qu'elle représentait : le parfum Ivoire, les robes Cacharel, le pont chinois, la Porsche, cette aura d'opulence.

Ils s'asseyèrent sur une fourrure blanche jetée devant le feu de bois qui brûlait dans la cheminée. Les ongles d'Yvonne étaient recouverts d'une laque irisée et elle portait une perle à son doigt. Pup lui embrassa le poignet.

– Je t'aime et je ne veux pas te perdre.

– Ashley vivra peut-être des années, en prenant des précautions. N'est-ce pas curieux ? Il y a quelque temps j'ai demandé à Dolly de te faire intervenir pour les séparer et maintenant je souhaite qu'ils restent ensemble. Aurais-tu pu le faire ?

– Les séparer ? Bien sûr que non... Yvonne...

– Oui, chéri ?

– Je voudrais que tu revoies Dolly.

– C'est un peu embarrassant, tu comprends... toi et moi. Après ce que je lui ai dit de George. De plus... je ne voudrais pas te blesser, mais... elle est si étrange. Elle me fait un peu peur.

– Tu n'as rien à craindre. Elle nous aime tous les deux plus que tout au monde. Elle ferait n'importe quoi pour que nous soyons heureux. Au moins téléphone-lui, de temps en temps, pour me faire plaisir.

– Dois-je lui parler de nous ?

Il plongea son regard dans ses yeux bleu-mauve.

– Il n'y a pas grand-chose à dire. Seulement que je t'aime et que tu m'aimes... et que ton mari va revenir.

Ayant répété ce qu'elle dirait, Yvonne téléphona à Dolly, le lendemain matin. Celle-ci était sortie pour acheter du vin. Yvonne essaya encore dans la soirée, mais Dolly piquait l'ourlet d'une robe et laissa le téléphone sonner sans répondre. Elle pensait que c'était Wendy Collins, qui avait déjà appelé deux fois ce jour-là. Yvonne abandonna, en se disant qu'elle rappellerait plus tard.

Assises côte à côte sur la cheminée, la poupée blonde et la poupée au teint olivâtre la fixaient. Dolly les regarda, la gorge serrée. Ce qu'elle avait à faire l'effrayait, mais il n'y avait pas d'autre moyen. Elle avait tout essayé.

Le ciel était clair et dégagé, mais les matinées restaient fraîches. Elle s'habilla chaudement, remontant une fois de plus son écharpe jusqu'aux yeux. Aussitôt, elle retrouva l'assurance dont elle avait besoin. Edith et Myra avaient l'intention de l'accompagner. Il était impossible de leur échapper. Dolly dut se résigner à subir leur bavardage incessant.

Un petit vent glacé s'était levé. Elle se dirigea vers l'arrêt de l'autobus. Naturellement, il était plus que probable qu'elle ne le verrait pas. Il était tard. Peut-être serait-il préférable de revenir le lendemain. Mais à quoi bon reculer l'échéance alors que la déception d'Yvonne ne faisait qu'augmenter ? L'autobus arriva. Au moment d'y monter, elle fut tentée de retourner à la maison, d'attendre un jour, une semaine... Mais elle grimpa les marches et trouva un siège où elle pouvait coller sa joue droite contre la vitre.

Edith et Myra l'avaient suivie et chuchotaient avec des mines de conspirateurs. Il lui fallut un moment avant de pouvoir trouver un sens à ce qu'elles disaient. Elles voulaient l'arrêter. Elles voulaient qu'elle retourne à la maison.

– Je suis dans l'autobus, je ne peux pas faire demi-tour, leur lança-t-elle.

Un homme se retourna et regarda le siège vide à côté d'elle. Embarrassée, Dolly mit la main sur sa bouche. Il ne pouvait comprendre qu'elle communiquait avec l'au-delà. En s'habillant, elle avait pris soin de sortir le talisman du col de sa robe, mais pour mieux le sentir, elle déboutonna son manteau et le glissa directement contre sa peau. Les chuchotements n'avaient pas cessé, mais s'étaient assourdis. Quoi que Pup ait pu dire sur la magie, rien ne pourrait la convaincre que le talisman n'était pas chargé de la protéger.

En descendant de l'autobus, elle fut assaillie par une rafale de vent. Tous les passagers, les uns après les autres, se mirent à courir en tenant, qui son chapeau, qui son écharpe. De petits nuages groupés roulaient dans le ciel. Il était 8 h 25. Elle n'avait aucune idée précise sur ce qu'elle ferait en le voyant. Elle était seulement sûre d'une chose : elle le suivrait. Toute la journée s'il le fallait, le reste de sa vie, si c'était nécessaire, jusqu'à ce qu'elle ait accompli l'inévitable. Après tout, avait-elle le choix ?

La Mercedes de George Colefax se trouvait dans le parking. Une jeune fille sortit de l'immeuble, puis un couple, enfin, un homme portant un manteau en peau de mouton. C'était Ashley Clare. Il regarda la voiture en passant et remonta le col de son manteau. Elle vit son visage de près. Il paraissait vieilli, creusé de nouvelles rides et son teint avait une pâleur malsaine.

Il passa à moins d'un mètre de Dolly. Elle lui laissa prendre un peu d'avance et le suivit le long d'Heath Street. Il marchait les épaules courbées et la tête penchée comme s'il luttait contre le froid. Elle crut qu'il allait s'arrêter au kiosque de la station de Hampstead pour acheter un journal, comme la dernière fois, mais il entra directement avec son billet mensuel et se dirigea vers l'ascenseur. Dolly dut faire la queue pour acheter son billet. Cependant, elle parvint à le rattraper ; il n'avait pu monter dans la cabine bondée.

Il y avait foule ce matin. Myra et Edith étaient toujours là. Leurs voix bourdonnaient à son oreille, fébriles, inquiètes.

A la sortie de l'ascenseur, un courant d'air chaud l'enveloppa. Le troupeau de voyageurs longea le couloir et une ou deux fois Dolly perdit de vue le manteau en peau de mouton. Lorsqu'elle arriva à l'escalier, il avait disparu.

Le train pour Golders Green venait de partir. Comme presque tout le monde, Dolly emprunta le couloir de gauche pour prendre la direction opposée. Soudain elle crut voir la grosse dame qui lui avait saisi les bras, sur le quai de Camden Town. Elle regardait l'affiche d'un nouveau film et tourna brusquement la tête. Bien entendu, ce n'était pas elle. Dolly traversa le quai, à la recherche d'Ashley Clare. Cette fois, elle ne commettrait pas d'erreur sur la personne ; il était sans doute le seul à porter un manteau en peau de mouton. Tout à coup elle l'aperçut. Lui aussi lisait une affiche. Il tourna les yeux vers elle et l'étudia si attentivement qu'elle se demanda un moment si Myra n'avait pas raconté naguère à George Colefax – qui l'aurait répété à Ashley Clare – que sa belle-fille portait une marque de naissance sur la joue... Mais il était plus vraisemblable qu'avec l'arrogance d'un bel homme au visage immaculé il examinait simplement son nævus. Elle lui rendit son regard avec une telle colère et une telle haine qu'il détourna les yeux. Les deux mains dans les poches, il s'approcha du quai.

Les voyageurs s'étaient rassemblés en groupes aux points où ils pensaient que les portes s'ouvriraient. Ashley Clare se détacha de ces grappes humaines et attendit, très près du bord. Une nouvelle fournée de gens était arrivée sur le quai et il fut rejoint par un homme d'un côté et une femme de l'autre. Dolly leva la tête pour regarder le col de son manteau. Près d'elle Edith et Myra jacassaient, sur un ton presque hystérique.

Le train arriverait sur la gauche. Déjà on sentait le courant d'air chaud. Quelques personnes vinrent s'agglutiner derrière Dolly. Elle se sentit soudain petite, ensevelie, écrasée. Elle entendit quelqu'un dire, au-dessus de sa tête, qu'il y avait eu un ennui technique sur la ligne. C'était la raison pour laquelle une telle cohue régnait dans la station. Entourée, pressée de toute part, Dolly parvint pourtant à lever les mains. Elle portait des gants beige, presque de la même couleur que la peau de mouton. Un cheveu noir, comme ceux qu'elle avait utilisés pour faire la figurine, tomba sur son gant. Elle le fixa, hypnotisée. A côté d'elle, Myra se mit à hurler.

Le train surgit du tunnel et entre le manteau de peau de mouton et le dos d'un pardessus en tweed, elle aperçut le visage jeune et rose du machiniste. Avant qu'il disparaisse, elle eut le temps de le voir ouvrir la bouche dans un cri de terreur. Le manteau de peau de mouton n'était plus sur le quai.

La foule reflua dans une clameur confuse. Mêlant sa voix aux exclamations affolées, Dolly se laissa porter par la vague. Un haut-parleur grésilla, imposant un silence momentané.

– Il y a eu un accident. S'il vous plaît, pas de panique.

A côté de Dolly, une femme se mit à pleurer.

XXIII

L'individu qui était venu s'installer à l'étage au-dessous lui parut aussitôt suspect. Cheveux noirs, visage insignifiant, blue-jean, il parlait avec un faux accent anglais qu'on lui avait enseigné pour devenir indicateur. Ne pourrait-ce être Diarmit Bawne ? Ce soir, il viendrait frapper à sa porte, se présenterait sous un nom d'emprunt et lui offrirait de la nourriture ou lui demanderait de cesser de marcher de long en large. Conal s'appliqua à ne pas faire de bruit et, à 7 heures, Diarmit ne s'étant pas présenté, il sortit.

Il ne doutait pas que la pièce serait fouillée en son absence. Diarmit possédait une clef et n'aurait pas besoin de forcer la serrure. Cette fois, il n'avait pas répandu de poudre sur le plancher. A quoi bon ? Il était fatigué. L'énergie, la force de caractère nécessaire à Conal Moore l'avaient abandonné et il se sentait aussi timoré que Diarmit. Il erra dans les rues, la peur au ventre. Il fallait pourtant revenir. L'autre devait l'attendre. Que faire ? Trouver un prêtre pour se confesser, tout dire à Kathleen, puis aller à la police ? Quand il remonta dans sa chambre, la pièce était vide et cependant elle empestait l'odeur des vêtements crasseux de Diarmit.

Il avait pris les couteaux. Le sac de chez Harrods n'était plus là. Paniqué, Conal ouvrit portes et tiroirs, fouilla sous le lit, tirant des papiers, des journaux et enfin, le sac vert. Alors seulement, il se laissa tomber sur le lit et s'endormit, épuisé.

Quand il s'éveilla, au milieu de la nuit, il vit la pagaille qui régnait dans la chambre. Ils avaient fouillé sans aucune précaution. Ses tiroirs étaient ouverts, leur contenu éparpillé sur le plancher, comme pour lui faire comprendre qu'ils savaient tout. Sur un tas de vieux journaux se trouvaient les couteaux.

Il comprit qu'il devait sortir et se défendre. Dès que le jour se lèverait, il emporterait ses affaires pour aller chercher un refuge. Assis par terre, en tailleur, il affûta les couteaux et essaya les lames sur ses doigts. Si Diarmit revenait, il serait prêt à le recevoir. Mais Diarmit ne vint pas.

Ce fut presque dans un état de transe que Dolly remonta la rue escarpée. Pour la première fois depuis la mort de Myra, les chuchotements s'étaient tus. Myra et Edith avaient piaillé comme des moineaux effrayés, avant de disparaître dans un soupir. Dolly savait qu'elle ne les entendrait jamais plus.

L'autobus arriva au bout de vingt minutes. Pendant un instant, Dolly eut l'impression que le conducteur avait une tête de chacal. Elle ferma les yeux. Quand elle les ouvrit, elle vit que l'homme était un Indien au nez aquilin. Un silence de mort l'enveloppa. Levant la main, elle sentit les bords aigus du talisman à travers sa robe et en fut soulagée.

Elle n'avait aucune raison de se presser de rentrer. La nouvelle ne parviendrait pas à Yvonne avant le soir, peut-être même avant le lendemain, si elle ne lisait pas les journaux. Dolly descendit à l'arrêt de Highgate et se dirigea lentement vers Holmesdale Road où elle bifurqua sur la vieille voie de chemin de fer.

Des bourgeons apparaissaient sur les branches de bouleaux et de saules. Quand l'été viendrait, Pup et elle seraient enfin seuls dans leur maison. Et Yvonne vivrait de nouveau avec George. Demain, si elle n'avait pas de nouvelle, elle lui enverrait la poupée blonde. En attendant, elle boirait. Elle en avait besoin.

Quelques plumes volaient à l'entrée du tunnel comme des flocons de neige. Dolly toucha son talisman avant de traverser le boyau obscur et monta les marches, de l'autre côté.

Harold était à la maison. La machine à écrire cliquetait dans le petit salon. Elle déboucha une bouteille de bourgogne et en but un plein verre d'un seul trait. Puis elle emporta la bouteille au salon et se mit à boire verre après verre, sans souci de la faire durer. Il y en avait une seconde dans la cuisine et une infinité d'autres dans la boutique où elles n'attendaient que d'être achetées. Edith et Myra lui manquaient. Souvent, leur présence l'avait agacée, mais maintenant qu'elles étaient retournées à leur destin, elle désirait entendre leurs voix, leurs commentaires et même leur jugement.

Elle sortit l'autre bouteille du réfrigérateur et la déboucha. Ses mains tremblaient. Elle se rendit compte que tout son corps était secoué par un tressaillement nerveux, depuis son retour à la maison. Pourtant elle était heureuse. Ashley Clare était mort. Elle se sentait en paix avec elle-même.

La machine à écrire se tut. Wendy était venue chercher Harold et ils partirent ensemble. Dolly laissa son regard errer dans la salle à manger. Bientôt elle la transformerait en temple. Bientôt elle vivrait seule ici avec Pup. Ses pensées bourdonnaient dans sa tête comme des abeilles dans une ruche. Elle était fatiguée. Il y avait tant de nuits qu'elle ne dormait pas bien. Il lui restait encore une demi-bouteille de bourgogne. Elle se versa un autre verre. Quelques gouttes rouges tombèrent sur le tapis de Myra. Assises sur la cheminée, les poupées la regardaient en hochant la tête. Dolly termina le vin et se leva. Elle dut se tenir aux meubles pour traverser la pièce. Son visage congestionné se refléta dans le miroir de Myra et par-dessus son épaule, elle vit pointer un museau de chacal.

Elle referma la porte et tourna la clef dans la serrure, enfermant Anubis avec les poupées. Il lui fut impossible de monter l'escalier. Elle dut ramper, marche après marche pour gagner le palier et se traîner jusqu'à son lit.

Les gouttes de vin sur le tapis ressemblaient à des taches de sang. Dolly tira sa machine à coudre dessus pour les cacher. Elle avait dormi dix heures d'affilée et après avoir avalé six comprimés d'aspirine, elle se sentait faible et tremblante, presque désincarnée. Harold n'était pas rentré. Pup non plus. Du moins le supposait-elle car elle avait perdu conscience de ce qui l'entourait.

Elle sentait la présence du dieu à tête de chacal, mais ne le voyait plus. Elle erra de pièce en pièce, avec l'étrange sentiment que quelqu'un la suivait. Quand elle se retournait, il n'y avait personne. Depuis deux jours, elle n'avait pratiquement rien mangé. Cependant, elle n'avait pas faim. Elle prit une bouteille de vin blanc dans le réfrigérateur et la but directement au goulot.

Pup ne rentrait toujours pas. Naguère, elle aurait pensé qu'il était à une réunion. Elle se serait inquiétée, imaginant qu'il avait pu être renversé par une voiture ou attaqué par des voyous. Il était devenu trop prudent et en vérité trop grand et trop puissant pour qu'elle pût redouter ce genre de choses. Harold était revenu. Elle entendit Wendy lui souhaiter bonne nuit, sur le pas de la porte. Bonne nuit ? Dolly ne distinguait plus le jour de la nuit. Assise dans le salon avec sa dernière bouteille de vin, elle attendit le retour de Pup.

Conal commença à rassembler ses affaires. Il se mit à l'ouvrage bien avant qu'il ne fît jour, écartant les effets qui appartenaient à Diarmit Bawne.

Puis il sortit dans le petit matin froid et se rendit sur le quai de la vieille voie de chemin de fer. Il dut faire trois voyages. Quand il eut emporté tout ce qui était à Conal Moore, il laissa la porte de la chambre grande ouverte. Diarmit n'aurait pas été capable de rédiger un mot. Conal savait écrire ; c'était un homme instruit, mais il décida de ne pas le montrer. Pourquoi se soucier de laisser des explications ? Pourquoi leur faciliter la besogne ?

De toute façon, ils devineraient où il était. Lorsqu'ils viendraient, il serait prêt à les affronter. Le soleil allait se lever. On apercevait déjà ses rayons sur les toits et au sommet des arbres. Il entassa ses affaires sur le quai et les transporta dans le tunnel. Le matelas s'était affaissé, au cours des derniers mois, mais il était encore possible de le redresser. Il avait emporté une couverture et un anorak rouge que Conal avait acheté d'occasion. Mais surtout, il avait ses couteaux. Ses armes. En les voyant, bien aiguisés, posés parallèlement sur un tas de vieux journaux, il se sentit rassuré. Tout policier, tout espion, toute femme qui s'approcherait de lui ferait bien d'être prudent. Conal Moore avait toujours été un garçon courageux, intrépide. Il s'installa derrière sa barricade sur les vieux journaux humides, la couverture enroulée autour de lui, prêt à mener le combat.

A 9 heures, ce matin-là, Pup revint à la maison, réveilla Dolly endormie sur le divan du salon et monta l'escalier en courant. Dolly eut juste le temps d'enfiler ses chaussures et de passer les doigts dans ses cheveux en désordre avant qu'il ne redescende.

Elle espérait éviter toute explication en lui laissant croire qu'elle s'était levée de bonne heure. Mais il ne la regarda même pas. Il contempla les poupées sur la cheminée.

– Ne crois-tu pas qu'il vaudrait mieux les ranger ? Au moins l'homme. Ce n'est pas de très bon goût. (Il hésita avant de demander :) As-tu appris la nouvelle ?

Elle ne répondit pas.

– J'ai essayé de t'appeler à plusieurs reprises, hier, reprit-il.

Elle s'efforça à l'indifférence :

– J'étais sortie. Que devrais-je savoir ?

– N'as-tu pas lu le journal du soir ?

Elle secoua la tête dans l'attente de la nouvelle qui n'en était pas une pour elle.

Il ouvrit la boîte où elle conservait les restes de tissu et y glissa les poupées. Elle trouva qu'il paraissait soudain plus que son âge et que d'une certaine façon, il avait l'air rasséréné. C'était naturel. Il devait être heureux pour Yvonne.

– Si on pouvait s'attendre à ça ! dit-il. George Colefax est mort. Il est passé sous un train, à la station d'Hampstead.

XXIV

Après son départ, elle retrouva la photographie qu'Yvonne lui avait envoyée et la regarda attentivement. Parce que George Colefax avait parlé d'Ashley Clare comme d'un « joli garçon », elle avait pris l'homme qui fumait le cigare pour George et celui qui était plus mince, plus beau, pour Ashley Clare. Elle s'était trompée, comme elle s'était trompée une première fois sur le quai de Camden Town. Seulement ce jour-là, sa méprise n'avait pas eu de conséquence.

Le mari d'Yvonne était mort. Elle l'avait tué. Depuis que Pup le lui avait appris, sa tête était pleine de bruits. Elle était assise à l'endroit où il l'avait laissée, immobile, le regard fixe, dans la crainte que le moindre de ses mouvements ne fasse fondre sur eux tous un autre désastre. Elle ne reverrait plus personne désormais. On ne voudrait plus lui parler. Pup était parti sans dire quand il reviendrait, Yvonne devait la haïr. Elle serait condamnée à la solitude pour le reste de sa vie. Il y avait plus de vingt-quatre heures qu'elle n'avait pas retiré ses vêtements. Sa robe était froissée et elle avait l'impression de sentir la sueur. Sans se lever, sans tirer les rideaux, elle se mit à la déboutonner. Avant d'avoir atteint la taille, elle eut l'impression qu'elle avait perdu quelque chose. Ses deux mains se portèrent à son cou, glissèrent sur sa poitrine.

Le talisman avait disparu. Un cri inutile s'échappa de ses lèvres. Etait-ce parce que le talisman n'était plus là que tout était arrivé ? Mais non. Elle l'avait senti sur sa peau en revenant. Si elle ne voulait pas tout perdre, se perdre elle-même, il fallait le retrouver. Fiévreusement, elle se mit à fouiller la maison.

– Je crois que les journaux ont raison, dit Yvonne, en se serrant très fort contre Pup. Le pauvre George avait perdu la tête. Le policier m'a dit que l'enquête conclurait à une mort accidentelle, mais je suis persuadée qu'il a agi délibérément. Qu'en penses-tu ?

– Je trouve bizarre qu'on se conduise ainsi.

Yvonne frissonna.

– Quand on a l'esprit dérangé, on ne réfléchit pas. Il m'avait dit qu'il ne pourrait vivre sans Ashley et les jours de celui-ci étaient comptés. Je ne serai pas obligée de raconter tout cela à l'enquête, n'est-ce pas ?

– Bien sûr que non.

– Pauvre George. J'ai eu beaucoup d'affection pour lui au début de notre mariage et je suis vraiment désolée. C'est terrible d'être veuve deux fois quand on n'a que vingt-cinq ans.

– Vingt-sept, corrigea Pup, avec douceur. Je pense que nous devrions nous marier très vite. Et toi ?

– Oh ! oui, mon chéri ! dit Yvonne, en lui tendant ses lèvres.

Pup ne voyait aucune raison pour qu'ils ne soient pas très heureux. George n'avait pas fait de testament, mais c'était sans importance, puisque Yvonne était sa seule héritière. Il engloba d'un coup d'œil de propriétaire le tapis du Cachemire jeté là, le cabinet Chippendale et le petit pont chinois qui apparaissait dans un coin de la fenêtre. Ce n'était pas si mal d'avoir à vingt et un ans une affaire florissante, un physique apparemment séduisant, une jolie femme et une maison d'un million de livres.

Dolly prétendrait qu'il avait obtenu tout cela en vendant son âme au diable. Dans ce cas, comme le pauvre vieux Dr Faust, il aurait probablement à en payer le prix. Pup éclata de rire à de telles sottises.

– Je sais, dit Yvonne, moi aussi je suis heureuse. N'est-ce pas terrible ?

Dolly garderait la maison de Manningtree Grove. On pourrait traiter son nævus au laser. Ils en avaient les moyens, maintenant. Pup embrassa Yvonne et chassa sa sœur de son esprit.

Dolly réfléchissait. Elle se souvenait qu'elle portait encore le talisman, lorsqu'elle avait quitté la station de métro. Elle l'avait toujours dans l'autobus et quand elle avait traversé Archway Road pour aller jusqu'à la vieille voie de chemin de fer. Mais à partir de là, elle ne se souvenait plus de rien.

La journée était très douce, malgré le ciel gris et bas. Elle enfila son manteau et en approchant de la porte, elle vit l'ombre d'Anubis se découper sur le mur « sable doré » de Myra. Elle détourna les yeux. S'assurant que ses cheveux lui couvraient bien la joue, elle sortit. La rue n'était pas très animée. Elle croisa quelques personnes qui allaient faire leurs emplettes du samedi. Toutes avaient des têtes de chacal.

Elle retourna jusqu'au pont de Stanhope Road. Elle était sûre d'avoir eu encore le talisman en arrivant là. Parce que les arbres s'égouttaient encore sur le sol détrempé, il n'y avait personne sur la vieille voie ferrée. Si le talisman était tombé là, il devait s'y trouver encore. Elle marchait lentement, tête baissée. Elle ramassa une branche pour fouiller l'herbe. Avec une baguette semblable, coupée à un coudrier, Pup avait accompli des miracles. Le talisman était tout ce qui restait de ce temps-là et elle devait le retrouver.

Le vallon s'élargissait. Elle ne se souvenait pas exactement où elle était passée la veille. Au milieu de l'herbe on ne le verrait pas facilement car la partie rouge du talisman était peu apparente.

Une plume portée par la brise voleta et vint tomber à ses pieds et soudain, la mémoire lui revint. Elle avait senti le talisman sur sa peau à travers sa robe en entrant dans le tunnel.

Elle l'avait donc perdu entre le tunnel et la maison. Il faisait sombre sous la voûte suintante. Le sol était nu, noir et humide. Une plume effleura son visage.

Quelqu'un avait redressé le matelas sur le côté. Il n'était pas posé ainsi, la veille. Etait-il possible que le talisman se fût détaché et qu'il ait roulé dessous ? La baguette à la main, elle s'approcha du matelas.

Et alors, elle le vit, accroupi dans la boue. A la place du caducée et des palmes, il tenait deux couteaux dont les lames brillaient.

Il l'attendait. Elle savait que tôt ou tard, il l'attraperait. Tout ce qui leur était arrivé les avait inexorablement conduits à cette fin et quand les couteaux jaillirent de l'ombre, tous deux poussèrent le même cri de terreur.

Les Maîtres du Roman Policier

Première des collections policières en France, Le Masque se devait de rééditer les écrivains qu'il a lancés et qui ont fait sa gloire.

ALEXANDER David
2099 La tour prends garde...

ANDREOTA Paul
1935 La pieuvre
1975 Zigzags

BALL J.
2091 Dans la chaleur de la nuit

BARDIN John F.
2025 Qui veut la peau de Philip Banter?

BAXT George
2049 Le meurtre d'Alfred Hitchcock
2085 Crime et sentiment

BERKELEY Anthony
1911 Le gibet imprévu
2008 Sans remords
2116 Le meurtre de Piccadilly *(fév. 93)*

BOILEAU Pierre
2114 Les rendez-vous de Passy
1938 La pierre qui tremble
1774 Six crimes sans assassin

BOILEAU-NARCEJAC
1748 L'ombre et la proie

BONETT J. & E.
1916 Mort d'un lion

BRETT Simon
1972 Les gens de Smithy's
2102 Salades grecques

BURLEY W. J.
1762 On vous mène en bateau

CARR John Dickson
1274 Impossible n'est pas anglais
1785 Le sphinx endormi
1794 Le juge Ireton est accusé
1802 Le marié perd la tête
1843 Les yeux en bandoulière
1850 Satan vaut bien une messe
1863 La maison du bourreau
1883 Je préfère mourir
1891 Le naufragé du Titanic
1906 Meurtre après la pluie
1910 La maison de la terreur *(mars 93)*
1917 L'homme en or
1968 Eh bien, tuez maintenant!
1991 Hier, vous tuerez
2001 Capitaine Coupe-gorge
2005 Le mort frappe à la porte
2007 Il n'aurait pas tué Patience
2012 Celui qui murmure
2016 Le secret du gibet
2018 L'habit fait le moine
2024 Ils étaient quatre à table
2027 A la vie, à la mort
2033 Un coup sur la tabatière
2041 Les meurtres de la licorne
2045 Les démoniaques
2053 Le manoir de la mort
2056 Les neuf mauvaises réponses
2065 La mort sous un crâne
2078 La fiancée du pendu
2087 La maison de la peste
2096 La mort dans le miroir
2104 Le squelette dans l'horloge
2108 Le chapelier fou

COLLINS Max Allan
2113 Le barbier aveugle
2017 Pas de pitié pour ceux qu'on aime

CRISPIN Edmund
1839 Un corbillard chasse l'autre
1935 Prélude et mort d'Isolde

DELTEIL Gérard
2030 Votre argent m'intéresse

DIDELOT Francis
1784 Le coq en pâte

DUCHATEAU A.P.
1984 La 139e victime
2020 Palmarès pour cinq crimes

ELLIN Stanley
1670 Le compagnon du fou
1682 La puce de Beidenbauer
1702 La douzième statue
1729 La dernière bouteille

FAIR A.A.
1745 Bousculez pas le magot
2013 Une belle jambe
2028 Dans le bain
2062 Meurtre légal
2072 La piste effacée
2081 Une affaire en or
2089 Le dessus du panier
2101 Les femmes sont friponnes
2107 Un colt dans le corsage
2117 Qui rira le dernier? *(fév. 93)*

FAST Julius
1901 Crime en blanc

FREEMAN AUSTIN
2127 Les jeux sont faits *(avril 93)*

GARDNER Erle Stanley
1797 La femme au masque

GASPAR José da Natividade
457 Les corps sans âme
597 Congrès gastronomique

GERRARD Paul
1945 La chasse au dahu
1964 La javanaise
1985 Les incandescentes
2003 Le masque de verre
2019 La tournée du bourreau
2031 Le 36e dessous
2052 La porsche jaune
2066 Le pas des lanciers
2105 Le train du Mardi-gras

GOODIS David
1823 La police est accusée

GRISOLIA Michel
1847 La madone noire
1874 La promenade des anglaises
1890 650 calories pour mourir

HALTER Paul
2035 La tête du tigre
2059 La septième hypothèse
2100 La lettre qui tue
2124 Le diable de Dartmoor *(avril 93)*

HARDWICK M. ET M.
2068 La vie privée de Sherlock Holmes

HAUSER Thomas
1853 Agathe et ses hommes

HILL R.
2055 Un amour d'enfant
(Prix du Roman d'Aventures 1991)
2064 Des douceurs assassines
2080 Le partage des os
2090 C'est veuve et ça ne sait pas
2121 La vie en roses *(mars 93)*

IRISH William
1897 New York blues

JEFFERS H. Paul
1807 Irrégulier, mon cher Morgan

KAMINSKY Stuart
2011 Le flic qui venait du froid
(Prix du Roman d'Aventures 1990)
2021 Quand Moscou fait la bombe
2042 Quand Moscou fait son cirque
2057 Qui a peur du grand méchant ours?
2086 Entre la faucille et le marteau

KASSAK Fred
1943 Nocturne pour assassin
1981 Une chaumière et un meurtre
2004 Plus amer que la mort
2022 Crêpe-Suzette
2054 Bonne vie et meurtres
2061 Voulez-vous tuer avec moi?
2112 Carambolages

LEBRUN Michel
1970 Un revolver, c'est comme un portefeuille
1993 Les ogres

LECAYE Alexis
2047 Chronique d'un juge ordinaire
2060 Meurtres en trente-six poses
2098 Julie Lescaut

LOVESEY Peter
2014 Pour le meilleur et pour la mort
2026 Tourne et tais-toi
2046 Abracadavra
2076 Le prince et les sept cadavres

MÉNARD Emmanuel
2084 La dernière victime
(Prix du Festival de Cognac 1992)

MILNE A.A.
1527 Le mystère de la maison rouge

NARCEJAC Thomas
2115 La police est dans l'escalier

POSLANIEC Christian
1998 Les fous de Scarron
(Prix du Festival de Cognac 1990)
QUENTIN Patrick
251 L'assassin est à bord
1947 La mort fait l'appel
RAWSON Clayton
2082 Les pieds au plafond
ROSS Keeley
2110 L'ombre d'une chance
SÉCHAN O. et MASLOWSKI I.
395 Vous qui n'avez jamais été tués
(Prix du Roman d'Aventures 1951)
SINIAC Pierre
1983 Sombres soirées chez Mme Glauque
2023 Mystères en coup de vent
2071 Aime le Maudit
2106 Monsieur Cauchemar
STAGGE Jonathan
1789 Du sang sur les étoiles
1809 La mort et les chères petites
1833 Pas de pitié pour la divine Daphné
STEEMAN Stanislas-André
101 Le mannequin assassiné
284 L'assassin habite au 21
388 Crimes à vendre
1772 Quai des Orfèvres (Légitime défense)
1854 Le trajet de la foudre
1864 Le condamné meurt à 5 heures
1955 Madame la mort
2006 La maison des veilles
2029 Feu lady Anne (L'adorable spectre)
2040 Haute Tension
2063 Impasse des boîteux
2077 Virage dangereux
2122 Faisons les fous *(mars 93)*
STERLING Thomas
1992 Le tricheur de Venise
SYMONS Julian
2048 Un manuscrit en or massif
TERREL Alexandre
1757 La morte à la fenêtre
1777 L'homme qui ne voulait pas tuer
1792 Le croque-mort de ma vie
1867 Le croque-mort et sa veuve
1925 Le croque-mort a croqué la pomme
THOMAS Louis C.
1780 Poison d'avril
1969 La mort au cœur
2032 Les trente deniers
2051 Coup de sang
2073 Malencontre
UNDERWOOD Michael
1817 Trop mort pour être honnête
1842 A ne pas tuer avec des pincettes
VANCE Louis-Joseph
2118 Le loup solitaire *(fév. 93)*
VERY Pierre
1987 L'inconnue du terrain vague
2009 M. Marcel, des Pompes funèbres
2034 Le thé des vieilles dames
2038 M. Malbrough est mort
2069 Les veillées de la tour pointue
VICKERS Roy
2083 Et la servante est rousse
WALSH Thomas
1872 Midi, gare centrale
WAUGH Hillary
1814 Cherchez l'homme
1840 On recherche...
1884 Carcasse

IMPRIMÉ EN FRANCE PAR BRODARD ET TAUPIN
Usine de La Flèche (Sarthe).
ISBN : 2 - 7024 - 2336 - 1
ISSN : 0297 - 0384

H 31/0760/4